R. ZIMMER
DIE BUCKFASTBIENE
FRAGEN UND ANTWORTEN

Fotos: R. Zimmer
Technische Skizzen: R. Zimmer
Mitarbeit/Übersetzung: Xaver Bösl

ISBN 3-9800797-1-6

Printed in West-Germany 1987

R. Zimmer

Die Buckfastbiene

Fragen und Antworten

56 Illustrationen
18 Fotos
3 Technische Skizzen

C. Koch Verlag

Vorwort

Das vorliegende Buch unterscheidet sich in Form und Inhalt wohltuend von vielen Büchern der Imkerliteratur. Es erspart dem Leser die Langeweile, "alles schon mal gelesen zu haben", weil der Verfasser nicht - wie oft üblich - irgendwo abgeschrieben hat, sondern seine Erfahrungen und sein Wissen geschickt, mit viel Esprit und Hintergründigkeit, in Fragen und Antworten verpackt hat.

Dieser Dialog, im liebenswürdigen Deutsch des Elsässers gehalten und von den treffenden Zeichnungen eines Nichtimkers unterstützt, ermöglicht es dem Leser, sich weniger schmerzhaft von den Annahmen und Vermutungen über die Buckfastbiene zu trennen, deren Fähigkeiten bei uns gezielt in Frage gestellt wurde.

Es ist Raymond Zimmer zu verdanken, daß erstmalig so ausführlich über die Entstehung der Buckfastbiene und deren Haltung berichtet wird. Mit diesem Buch gibt er uns zwei Schlüssel zur Hand. Einen, zum besseren Verstehen der Bücher Bruder ADAMS, den weiteren für eine wirklich erfolgreiche Imkerei.

Merci Raymond!

Köln, den 23. Oktober 1987

Friedrich Schauff

Zum Geleit

Seit dieses Buch auf französisch erschien, wurde von verschiedenen Seiten der Wunsch nach Übersetzung in andere Sprachen geäußert. Dieser Wunsch geht nun in Erfüllung.

Ich betrachte die Ausführungen von Herrn R. Zimmer als einen vollauf zutreffenden Kommentar zu "MEINE BETRIEBSWEISE", aus dem eindeutig hervorgeht, daß dem Imker maximaler Erfolg nur dann möglich ist, wenn er die jeweiligen Umwelt- und Trachtbedingungen, sowie die Eigenheiten und Bedürfnisse der Biene berücksichtigt. Der Autor stützt seine Hinweise nicht auf abstrakte Annahmen, sondern ausschließlich auf reale Befunde, die mit streng praktischen Methoden gewonnen werden. Dazu gehören Aufzeichnungen über das Verhalten des jeweiligen Volkes und dessen Nettohonigleistung in einer betreffenden Tracht. Ich konnte mich davon jährlich selbst überzeugen und kann somit dem Leser versichern, daß es sich hier um kein Wunschdenken handelt.

Dieses Buch schließt eine Lücke. Mögen die Antworten und Ratschläge jedem fortschrittlichen, wie auch weniger traditionsgebundenen Imker in vielfältiger Weise bei seiner Arbeit helfen.

Buckfast Abbey, den 10. Oktober 1987

Bruder ADAM

Inhaltsverzeichnis

Gewidmet
Frl. Maria Kehrle
für ihr stilles Wirken ...

Herkunft der Buckfastbiene

Frage: Die Buckfastbiene ist nun seit über 20 Jahren in Deutschland eingeführt. Es wäre jedoch übertrieben, zu behaupten, daß sie überall einstimmig und wohlwollend angenommen wird. Oft ist es schwer, in den vielen gegensätzlichen Meinungen, Stimmungen und Erfahrungen der Imker bezüglich dieser Biene, ein objektives Bild zu gewinnen. Einerseits hört man von großen Wunderernten, andererseits spricht man von störenden Einflüssen dieses fremden Kreuzungsproduktes. Meine kritischen Fragen wenden sich nun an Sie als Praktiker, damit Sie uns, wenn das überhaupt möglich ist, Klarheit in dieser Sache verschaffen. Es erscheint mir wichtig und nützlich, mit der Frage nach der Entstehung dieser Rasse zu beginnen!

Antwort: Die Buckfastbiene, eine eigenständige Rasse, entstand dank Bruder ADAM vor mehr als 60 Jahren im Kloster Buckfast. Diese Benediktiner-Abtei liegt in der Gegend von DEVON, im Südwesten von England.

Diese Zucht ist nicht das Resultat eines ausgeklügelten genetischen Programmmes, sondern das Kind einer harten imkerlichen Wirklichkeit. In der Tat hat die Tracheenmilbe zu Beginn dieses Jahrhunderts die gesamte schwarze englische Biene total ausgerottet. Anno 1919 musste sich Bruder ADAM, der soeben zum verantwortlichen Leiter der Imkerei des Klosters ernannt worden war, mit dieser noch nie dagewesenen Bienenkatastrophe auseinandersetzen.

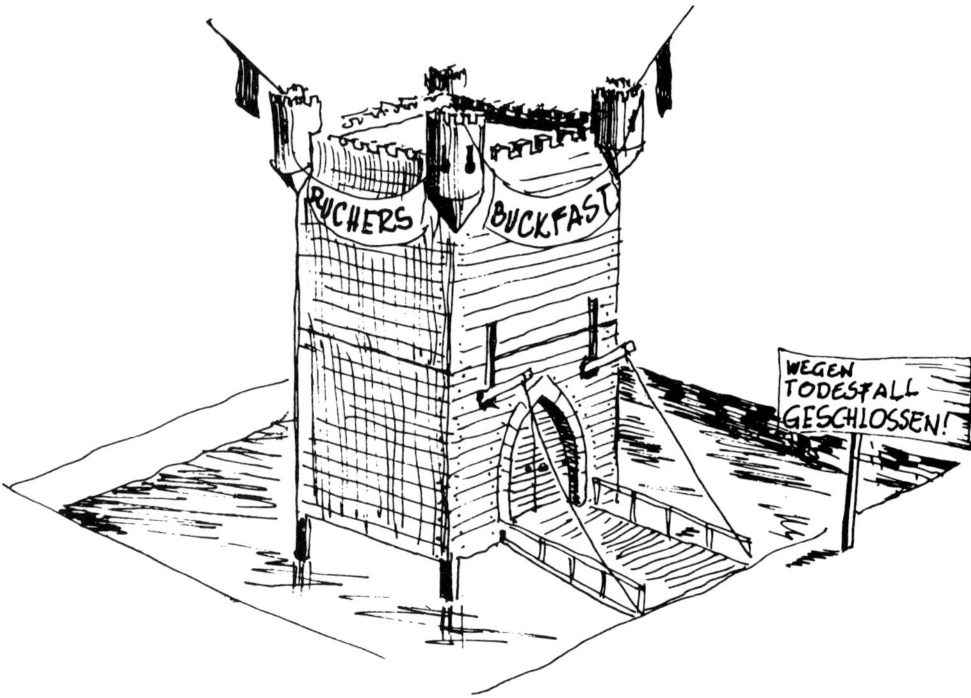

Niemand begriff damals den Ursprung dieses Übels, das auch die Imkerei des Klosters bis auf ein paar Völker vernichtet hatte. Sehr schnell jedoch drängte sich eine Gewissheit auf: alle noch überlebenden Völker hatten entweder eine fremde Königin oder waren eine direkte Abstammung einer solchen. Die damalige italienische Rasse, auch die ligurische Biene (die lederbraun war und nicht hellgelb) genannt, machte sich unter anderem besonders durch ihre Widerstandskraft gegen diese mysteriöse Seuche bemerkbar.

Im Grunde war Bruder ADAM ein entwaffneter Zeuge einer unerbittlichen Naturauslese, die in wenigen Jahren die englische Biene, Schwester der französischen Biene, radikal ausgerottet hatte. Diese schnelle sowie gründliche Vernichtung einer guten Landrasse, die dazu außerordentlich gut an ihren Lebensraum angepaßt war, ließ bei Bruder ADAM Zweifel über die guten alten Prinzipien aufkommen, nach denen die einheimische Biene am fähigsten wäre, den Anfeindungen ihres Lebensraumes standzuhalten. Unter den überlebenden Völkern hob sich eines besonders hervor. Es hatte nämlich eine italienische Königin, jedoch begattet von einheimischen, schwarzen Drohnen. Dieses Volk war weitgehend resistent gegen Milben und von großem Sammeleifer. Von ihm entstand das, was später die Buckfastbiene genannt wurde.

So in etwa kann man das Entstehen dieser Rasse zusammenfassen. Übrigens finden Sie diesbezüglich alle Einzelheiten gut erklärt in den drei Büchern von Bruder ADAM:

"Auf der Suche" (nach den besten Bienenstämmen). - C. KOCH Verlag

"Meine Betriebsweise". - Ehrenwirth Verlag

"Züchtung der Honigbiene". - DELTA Verlag

Die Züchtung von Bruder ADAM

Frage: Schon sind wir auf eine heikle Frage gestoßen, nämlich die der Kreuzungen in der Bienenzucht. Geben Sie uns bitte eine kurze Übersicht, wie Bruder ADAM dieses Thema versteht, damit das Nachfolgende auch für den nicht eingeweihten Leser verständlich bleibt. Diejenigen jedoch, die mehr wissen möchten, verweisen wir auf die oben angegebenen Bücher.

Antwort: Ich bin, wegen der Vielseitigkeit dieser Frage, ein wenig überfordert, und ich kann dieser Frage nur gerecht werden, indem ich das Risiko eingehe, das über 60-jährige Werk von Bruder ADAM entweder zu verzerren oder zu grob zu schematisieren. Kreuzungen sind, wie Sie eben bemerkten, ein heikles Problem in der Imkerei.

Im Herzen der Zuchtarbeit von Bruder ADAM, finden wir unter anderem 2 verschiedene Elemente, die es verdienen, hervorgehoben zu werden:

1) Die Umwelt in der Bruder ADAM arbeitet. Sie ist sehr ungünstig für die Imkerei. Die Niederschläge sind dort die größten von ganz England. Die Trachtverhältnisse haben sich zudem seit den letzten 15 Jahren mehr und mehr verschlechtert. Jede Schwäche, jeder Mangel einer Biene werden dort sofort offenbar.

Die natürliche Auslese bestraft jeden Ausleseirrtum (züchterischen Irrtum) des Imkers, insbesondere auf dem Gebiet der Resistenz.

2) Die konsequente Anwendung der Erbgesetze, die von einem Mönch Namens MENDEL entdeckt wurden. MENDEL war übrigens nicht nur Botaniker sondern auch Imker. Wie gesagt, MENDEL war es gegeben, die Vererbungsgesetze zu entdecken, von denen jedoch der gewöhnlich Sterbliche leider meistens nur eines im Gedächtnis behält, nämlich, daß die nachfolgenden Generationen aus einer Kreuzung zwar Eigenschaften der Ausgangsrassen zeigen, aber dies mit einer unberechenbaren, unsteten Zerstreuung. Für den Imker heißt dies, daß eine Kreuzung mit großer Sicherheit lebhafte Stechlust zeigt.

Wegen der Mehrfachpaarung der Königin, gilt vor allem im deutschsprachigen Raum die Kreuzung von Bienenrassen, besonders in der zweiten Generation (F2), als gröbster Verstoß (Anarchie) gegen imkerliche Gesetzmässigkeiten.

Eines der Verdienste von Bruder ADAM ist es, sehr früh über diese groben Vorurteile hinweggegangen zu sein und zwar zum Teil dank der Anstösse von Prof. ARMBRUSTER (dem er übrigens sein drittes Buch widmet).

Sein Verdienst war es auch, eine absolut sichere Belegstelle ausfindig gemacht zu haben (eine große Seltenheit damals in Europa). Sie liegt auf einer Art Hochebene im Herzen von DARTMOOR, unweit vom Kloster.

Frage: Geben Sie uns doch einige zutreffende Erklärungen über diese so "berühmten" Vererbungslehren MENDELS!

Antwort: MENDEL hat in seinem zweiten Erbgesetz (oder Lehre) bewiesen, daß es möglich ist, eine Nachkommenschaft zu erzüchten, welche nicht nur neue Eigenschaften besitzt, sondern diese auch erbtreu weitergibt, und das schon in der zweiten Generation (F2). Anders ausgedrückt heißt dies, daß es möglich ist, spezifische Eigenschaften zweier Rassen schon in der zweiten Generationen (F2) erbtreu zu vereinigen. Um diese seltene Leistung zu vollbringen, mußte man früher unter (vielem) anderem auch über eine totsichere Belegstelle verfügen (so sicher wie eine Insel im Meer, weit weg vom Festland). Genau dies traf bei der Belegstelle von Bruder ADAM zu.

Zu bemerken ist, daß in einer Kreuzung, wie oben beschrieben, die große Schwierigkeit darin besteht, daß man in der Nachkommenschaft genau diejenigen seltenen Königinnen entdecken muß, die eben die Eigenschaften der 2 Ausgangsrassen in sich erbtreu summieren.

Die Kreuzungen von Bruder ADAM

Nebenbei müssen wir noch betonen, daß Bruder ADAM keinerlei Farbauslese unternimmt: sein Ausleseziel ist u.a. der Sammeleifer der Bienen, auf welchen wir später zurückkommen werden.
Um diese oben erwähnte seltene Perle zu finden, muß man über eine grosse Anzahl Bienenvölker verfügen, damit sich eben die wertvollen Königinnen offenbaren können.

Frage: Haben Sie nicht den Eindruck, daß Bruder ADAM, obwohl er mit den Mendelschen Gesetzen auf wissenschaftlicher Basis arbeitet, etwas künstlich vorgeht oder sogar freiweg gegen das Natürliche handelt?

Antwort: Ihre Frage überrascht mich nicht, aber ich nehme an, daß es in der Natur (wie man so sagt) d.h. in einer vom Menschen nicht beeinflußten imkerlichen Welt, Gegenden gibt, in denen Kreuzungen ständig entstehen, zum Beispiel die Begegnungszone zwischen der Nigra und der Italiener-Biene, oder zwischen der Carnica und der Italiener-Biene, usw...

Es gibt auch in Südamerika die unerwünschte Kreuzung zwischen der Italo-Amerikanerin (die ja selber aus der Kreuzung der Nigra + Italiener entstammt) und der unvorsichtigerweise eingeführten Afrika-Biene.

Hybriden oder Kreuzungen?

Frage: Wenn man Sie so anhört, drängt sich eigentlich die Frage auf, ob die Buckfastbiene eine Hybride oder eine reine Rasse ist.

Antwort: Sie ist streng genommen weder das eine noch das andere. Mit gewissen Nuancen könnte man in Anbetracht dessen, was diese Begriffe heute für den Imker bedeuten, behaupten, daß sie gewissermassen eine spezielle Zwischenstellung einnimmt.

Streng gesehen gibt es keine Hybridbienen. Aber das, was man neuerdings als Hybridbiene bezeichnet, ist oft eine Kreuzung von 2 Linien oder Rassen, welche für ganz spezifische Eigenschaften in extremer Inzucht gehalten werden. In diesem Fall ist verständlicherweise der Heterosis-Effekt sehr groß, aber schon in der dritten Generation ist diese Biene kaum noch rentabel, weil sie gewaltig aufspaltet und unerwünschte Eigenschaften zu Tage treten. Man muß also, wie für den Mais, jährlich die Zuchtgrundlage erneuern. Hier kann von keinerlei Erbtreue der Nachkommen die Rede sein.

Die reinen Rassen ...

Die "reine Rasse" fußt auf einer Auslese innerhalb einer spezifischen Rasse. Man versucht peinlich jegliche Vermengung mit einer anderen Rasse, ja selbst manchmal mit einer anderen Familie dieser Rasse, zu unterbinden. Alles was nicht dem Standard entspricht, wird unbarmherzig ausgemerzt, gleich welchen imkerlichen Wert diese Richtlinien besitzen, (Flügelindex, Farbe usw.). Dann wird ausgelesen, indem man die guten bestehenden Eigenschaften zu festigen versucht. Bis vor kurzem ist man in der Schweiz mit der schwarzen Biene (seit 1898) diesen Weg gegangen, dann in Österreich und bald darauf auch in Deutschland mit der Carnica.

Die Grenzen der reinen Rassen

Die großen Nachteile dieser Zuchttechnik traten besonders dann hervor, als man systematisch auf sichere Belegstellen überging, wie z.B. die Insel-Begattung (aber auch die instrumentelle Besamung). Ein beachtlicher Vitalitätsverlust sowie eine große Krankheitsanfälligkeit (Nosema z.B.), waren die Folgen. Im Namen der Reinheit, welche obligatorisch mit Uniformität der äußeren Merkmale zusammenläuft, hatte man sehr schnell eine Biene erzüchtet, die genau dem Standard entsprach, aber sehr anfällig und wenig rentabel war.

Auch die italienische Biene ist ein Opfer der Reinzucht geworden. Man wollte eine immer gelbere Biene und hatte dabei einen vielseitigen und enormen Verlust an Widerstandskraft hinnehmen müssen (z.B. Milbenanfälligkeit).

Auch der italo-amerikanischen Biene ist es teilweise so ergangen. Bei dieser gesellte sich zum Verlust der Widerstandskraft noch der verschwenderische Umgang mit Vorrat. Jedoch waren die tiefen Ursachen nicht eine Zuchtideologie, sondern ein wirtschaftliches Problem.

Die Reinzucht hat schmerzhaft fehlgeschlagen und heute werden die Lehren daraus gezogen, jedoch, der Mythos bleibt bestehen und nährt noch viele Zuchttheorien. Bemerkt sei, daß eine reine Rasse, trotz aller Fürsorge und Anstrengungen der Züchter keine Eigenschaften hervorbringen kann, die nicht schon im Ausgangsmaterial vorhanden waren, sei es nur im embryonalen Zustand. Allein eine Kreuzung, man sollte sagen ein Summieren der verschiedenen Eigenschaften, kombiniert mit strengster Auslese, kann hier eine Lösung bringen. Die Natur hingegen verfügt nicht über Jahre, sonder Jahrtausende, um eine Rasse zu "schmieden".

Die Auslese der Natur ist außerordentlich vielseitig und unbarmherzig (siehe der Verlust der einheimischen englischen Biene), aber sie ist voll und ganz auf das Überleben der widerstandsfähigen Völker ausgerichtet.

Der Imker richtet seine Auslese auf Leistung und dadurch entfernt er sich - wie in allen Bereichen der Landwirtschaft und der Zucht - von der natürlichen Auslese.

Das "Geheimnis" von Bruder ADAM

Frage: Bruder ADAM, so sagten Sie, hätten einen neuen Weg beschritten. Erklären Sie diesen genau, denn letztlich ist es ja das, was uns am meisten Fragen stellt.

Antwort: Fassen wir doch ganz kurz zusammen, was wir über die Züchtung von Bruder ADAM wissen und angedeutet haben, indem wir ganz praktisch die verschiedenen Etappen einer Kombinationszucht verfolgen:

1) Suchen und Finden einer interessanten Bienenrasse im Ausland.

2) Prüfung und Auslese dieser Rasse in der Imkerei vom Kloster Buckfast.

3) Kreuzung der besten Elemente dieser Rasse mit einer oder mehreren Linien der Buckfastbiene (F1), indem sie entweder die Drohnen oder die Königinnen liefert.

4) Auslese der besten F1-Königinnen.

5) Kreuzung der F1-Königinnen (Tante)* mit Drohnen (Neffen), um eine F2-Linie nach den Lehren von MENDEL zu erhalten.

6) Strenge Auslese dieser F2-Königinnen aus einer sehr großen Zahl von Königinnen.

7) Inzucht unter den besten F2-Königinnen um eine stabilisierte F3 zu erlangen.

8) Strenge Auslese und Festigung der neuen Anlagen unter den besten F3-Königinnen.

9) Auf diesem Niveau können zwei Möglichkeiten ausgenützt werden:

a) Inzucht zwischen F3 und F4, unter den besten und gleichmäßigsten Individuen.

b) Wenn die neue Linie wertvolle Eigenschaften zeigt, aber auch mit groben Fehlern behaftet ist, so gibt es eine Rückkreuzung mit dem Buckfaststamm in der F3 oder sogar F4.

10) Festigung und strenge Auslese innerhalb dieser neuen Linie auch während der nächsten 5 bis 10 Jahre.

11) Einführung dieser neuen, gefestigten, stabilisierten (d.h. erbtreuen Kombination) in den Buckfaststamm unter der Bedingung, daß sie gegenüber diesem einen wirklichen Vorteil zeigt, z.B. mehr Widerstandskraft gegen Krankheit, noch weniger Schwarmtrieb, bessere Leistung, usw. Wenn dies nicht der Fall ist, wird diese Linie aufgegeben.

---

* siehe Buch: "Züchtung der Honigbiene" - Delta-Verlag.

Frage: Was Sie uns hier erklärt haben, scheint interessant zu sein, denn keine imkerliche Veröffentlichung hat dies meines Wissens so klar dargelegt; ein praktisches Beispiel zu diesem originellen Zuchtprogramm würde viel zum Verständnis beitragen!

Die Einfügung der schwarzen französischen Biene

Antwort: Wir haben gesehen, daß die Buckfastrasse eine Kreuzung der Italiener mit der schwarzen englischen Biene entspringt.

1930 bekam Bruder ADAM, von einem französischen Berufsimker dessen beste Königinnen, damit er ihm Königinnen nachziehe. Unter den Nachkommen dieser Königinnen, die der schwarzen französischen Rasse angehörten (Mellifica Mellifica), entdeckte Bruder ADAM mehrere Königinnen mit bemerkenswerten Eigenschaften, die nicht in seiner damaligen Buckfastbiene vorhanden waren. Er bewerkstelligte somit eine Kreuzung zwischen diesen französischen Königinnen und seiner Buckfast-Rasse, mit dem oben angegebenen Schema. Nach einer geduldigen und peinlichen Auslese und nach Rückkreuzungen mit seinem Stamm konnte Bruder ADAM 1940 endlich diese neue Linie in seinen Stamm einverleiben. D.h., daß diese neue oder besser neuen Linien, die total erbfest waren und auf allen Gebieten besser waren wie der alte Stamm, den Platz der Standard-Buckfast übernahmen.

Die Zeit, Hauptfaktor der Auslese

Im allgemeinen braucht Bruder ADAM ein Minmum von 7 Jahren, um zu einer neuen Kombination zu gelangen. Jedoch nicht alle Versuche kommen ans Ziel. Ich habe einen Versuch mit der finnischen Biene im Gedächtnis, von dem mir Bruder ADAM berichtete. Erfolge in der Kombinationszucht der Buckfast mit dieser Biene, die bemerkenswerte Überwinterungseigenschaften besitzt, stellten sich auch nach 12 Jahren nicht ein. Ähnlich verliefen auch Versuche mit der Carnica, eine besonders gute, aber schwarmlustige Biene, von der über 50 Linien ohne Erfolg ausprobiert wurden, zum grossen Leid von Bruder ADAM. Denn ich hege den Verdacht, daß er nur zu gerne dem österreichischen und deutschen Imker dieses Geschenk gemacht hätte.

Die griechische Biene (Cecropia) und die anatolische Biene zeigten hingegen keinerlei Hindernisse. Alle zwei gingen nach 7 Jahren in den Stamm ein. Eine der Hauptbedingungen seitens Bruder ADAMS war an Ort und Stelle die Völker selbst auszuwählen, mit denen er dann Kreuzungen einging.

Echte Fortschritte wurden möglich, als Bruder ADAM selber auf die Suche nach besseren Bienenstämmen* ins Ausland gehen konnte. Wie Sie sehen, ist die Buckfastbiene etwas anderes wie eine Hybridbiene.

Frage: Ich höre wohl, was Sie mir sagen wollen, aber ich kann das Gefühl nicht loswerden, daß der Begriff "Rasse" bei der Buckfastbiene ein wenig überzogen scheint. Umsomehr weil ständig die Ursprungskreuzung der schwarzen englischen Bienen mit der Italiener bei der Einfügung einer neuen Rasse in Frage gestellt wird, und dazu noch fest behauptet wird, die Buckfast wäre erbtreu.

---

* siehe Buch: "Auf der Suche..." - C. KOCH-Verlag

Antwort: Ihre Bemerkung ist sehr interessant und sie faßt ganz genau die Frage zusammen, welche sich viele Imker stellen. Ich glaube, daß es jetzt gut wäre, gewisse Grundsätze noch einmal zu wiederholen: Wir haben gesehen, daß aus einer Kreuzung in der F2 nach dem zweiten Gesetz von MENDEL schon eine Anzahl von Kombinationen mit den erwünschten neuen Eigenschaftsverbindungen entsteht, die sich vollauf in den Nachzuchten als erbfest verhalten. Man benötigt allerdings stets eine Periode von Jahren, bis eine Neukombination allen Anforderungen entspricht. Das heißt, daß die neuen Erbanlagen, welche in der F2 zusammengefügt wurden, sich erbtreu ohne Aufspaltung weiterführen lassen. Zudem findet es Bruder ADAM gar nicht unnütz, noch 7 Jahre (zumindest) zu warten, bevor eine neue Kombination als erbtreu betrachtet wird.

Wenn diese Stabilität oder Erbtreue sich offenbart, und wenn, wiederholen wir es, die Nachkommenschaft keine Aufspaltung mehr in den gezielten Eigenschaften zeigt (Langlebigkeit, Sanftmut, Krankheits-Resistenz, Sammeleifer, usw.), dann spricht nichts mehr dagegen, eine neue Kreuzung mit dieser "neuen" Buckfast und einer anderen (neuen) Rasse zu bewerkstelligen.

Aus diesem Schema hat sich langsam, Schritt für Schritt, in jetzt mehr als 60 Jahren die Buckfastbiene ergeben und steht uns heute so zur Verfügung.

Frage: Ich verstehe jetzt den Gedankengang und die Zuchtmethode von Bruder ADAM ein wenig besser, aber ich möchte, daß Sie in einem weiteren Beispiel - wenn möglich nicht aus der Imkerei - den Vorgang verdeutlichen.

Antwort: Dr. Weibel hat in der Zeitschrift "Fruit et Abeilles". März 1982 (Seite 97 und 98) ein sehr gutes Beispiel über die Kombinationszucht von Bruder ADAM angeführt. Anbei ein Auszug aus diesem Text:

"Die Buckfast anzuzweifeln hieße, folgende Idee in Frage zu stellen: Der Mensch ist fähig, eine neue Varietät einer Rasse zu erzüchten, die genau so erbtreu und rentabel im wirtschaftlichen Bereich ist, wie eine natürlich Rasse. Die Erzüchtung einer neuen Abart ist möglich unter der Bedingung, daß man sich den Gesetzen der Genetik unterwirft. Es werden dieselben Gesetze, welche man für die Auslese der biometrischen Kriterien anwendet, auch für die wirtschaftlichen Kriterien angewandt.

Gar mancher Imker schleppt diese überkommenen Vorurteile gegenüber der Buckfastbiene wie eine Erblast mit sich. Er hat Angst vor dieser Biene, weil ihre Anfänge nicht in der Kreuzung von Linien innerhalb einer Rasse liegen. Sie ist zwar in mehreren Rassen verwurzelt aber zu einem festen Stamm geworden.

Die Buckfastbiene ist nicht nur das Resultat von Kreuzungen, sondern insbesondere das Resultat einer Auslese, betrieben auf den Produkten von Kreuzungen. In der Tat sind auf 100 Kreuzungen vielleicht 1 oder 2 genetisch und wirtschaftlich annehmbar, d.h., daß man sie behalten kann, um aus ihrer Nachkommenschaft auszulesen. Bruder ADAM hat sich nicht damit begnügt, F1-Hybriden zu erzeugen, um aus ihrem Heterosis-Effekt Vorteil zu ziehen, sondern hat den Versuch gewagt, die Ergebnisse der neu erlangten Kreuzungen zu stabilisieren.

Die Buckfast ist das Resultat von 60 Jahren Auslese und nicht von 60 Jahren Rassekreuzungen. Man könnte der Buckfastbiene den Mangel eines Standards vorwerfen, aber hat ein Standard je Honig erzeugt? Nach welchem Standard züchtet die Natur? Nach welchem Standard macht der Imker seine Auslese?

Der Züchter kann den Standard erhalten, den er sich erwünscht, wenn die Möglichkeit im genetischen Erbgut der zuchttauglichen Rasse besteht.

Wenn das Erbgut einer Rasse bestimmte genetische Eigenschaften nicht besitzt, so kann man diese durch Kreuzungen mit Hilfe einer Rasse einführen, bei der diese Eigenschaften vorhanden sind.

Durch Rassenkreuzungen und Auslese der Nachkommen kann man neue erbfeste Eigenschaftsverbindungen, also neue Rassen erhalten. Ein Beweis für diese Behauptungen ist der Dobermann. Diese Hunderasse wurde 1860 unter der Initiative eines deutschen Steuereinnehmers, Ludwig Dobermann geschaffen. Dieser mußte oft in von Banditen unsicher gemachte Gegenden gehen. Er beschloß einen Hund zu züchten, der tapfer und kämpferisch veranlagt war, als die von damals. Zu diesem Zweck begann er eine hartnäckige Zuchtarbeit und erstellte zahlreiche Kreuzungen. Zu den Vorfahren der Dobermanns zählt man die deutschen Doggen, die deutschen Schäferhunde, die Rottweiler, die Pinscher.Etliche behaupten, daß der Beauceron und der englische Windhund auch mitbeteiligt waren. 1876 wurde das "Meisterwerk" von Ludwig Dobermann zum ersten Mal in einer Hundeausstellung vorgeführt. Alsbald gefiel er der Öffentlichkeit und erfreut sich noch heute zunehmender Beachtung. Die Kreuzung von 2 Dobermann-Hunden heutzutage ergibt weder Dogge, noch Pinscher, noch deutschen Schäferhund, wohl aber Dobermann-Hunde.

Die Rasse ist also erbtreu. Warum sollte das, was für den Hund machbar ist, nicht auch mit der Bienenzüchtung möglich sein? Der Dobermann ist keine Ausnahme unter den Hunderassen. Wir möchten auch auf den Bull Mastif, den Leonberger usw. verweisen. Dieselbe Vielfalt von Spielarten wurde vom Menschen in der Hauskaninchenzucht erreicht. Wenn der Mensch so viele Spielarten unter gewissen Tierrassen erzüchtet , geschieht dies gewiß deshalb, weil er darin seine Nützlichkeit oder Freude sucht.

Wir stellen uns die Frage, warum der Imker die gebotenen Möglichkeiten der Kreuzungen nicht ausgenützt hat. Es wird wohl so sein, daß die Schwierigkeiten der Begattung und Mehrfachpaarung der Königinnen die Haupthindernisse selektiver Rassenkreuzungen waren.

Aus diesem Grunde hat sich Bruder ADAM eine Belegstelle geschaffen, die vor dem Eindringen unerwünschter Drohnen absolut sicher ist.

Dieser Vorteil ist gewiß ein Grund seines Erfolges in der Zucht. Der Ausgangspunkt war eine erbtreu gewordene Kreuzung der schwarzen englischen Biene und der italienischen Biene. Nach und nach führte Bruder ADAM die wirtschaftlichen Eigenschaften von etlichen Bienenrassen aus dem Mittelmeerraum ein, indem er das Endprodukt aufs äußerste festigte. Die Buckfastbiene ist so erbtreu wie irgendeine andere Bienenrasse. Das ist das Ergebnis von 60 Jahren Arbeit im Dienst der Imkerei.

Etliche werden uns wegen genetischer Verschmutzung anprangern, weil wir diese Biene in unsere Gegend eingeführt haben (in das Elsaß). Bis heute ist der Gedanke, daß Gene eine Rasse verschmutzen können, nur in etlichen totalitären Philosophien geäussert worden. Wir kennen den Wert gewisser Lokalrassen, die man schützen sollte, bevor sie aussterben oder durch den genetischen Einfluß anderer Rassen verändert werden.

Hingegen befürchten wir die genetische Verarmung oder Abnutzung von gewissen Rassen durch falsche Ausleseprinzipien...

Diese Biene ist nicht perfekt, sie ist zu verbessern, der Weg ist vorbereitet für die, die ihn weitergehen möchten".

Wenn ich mich also auf das stütze, was Dr. WEIBEL oben gesagt hat, denke ich,daß ich im Recht bin, wenn ich behaupte, daß die Buckfastbiene kein Hybride ist, sondern vielmehr eine erbtreue Rasse im wahren Sinn des Wortes, und zwar im selben Rang wie gewisse "reine" Rassen, die gegen die Buckfast ins Feld geschickt werden.

Bedingung der Wahl der Rasse

Frage: Sie möchten anscheinend zu verstehen geben, daß die reinen Rassen gescheitert sind. Mir scheint jedoch, daß es den Reinen nicht schlecht geht.

Antwort: Es ist mir zuwider, mich am Rassenstreit zu beteiligen. Beinhaltet die Biene Bruder ADAMS doch wichtige Eigenschaften vieler bedeutender Rassen. Es wäre daher dumm von mir, diese zu kritisieren. Hingegen scheint mir wichtig, aus den Fehlern von gestern zu lernen und die Tatsachen beim Namen zu nennen.

Irrtümer der Zuchtauslese

1) Wohl in keinem Lande hat man die Zucht der Bienen so ernst genommen, wie in der Schweiz. Leider war man auf zu enge Geleise geraten und hat die schwarze Rasse so durch Zucht geschädigt, daß, soviel mir bekannt ist, kein ausländischer Berufsimker sie mehr auf seinem Stande führt. Vor dem 2. Weltkrieg war sie weltweit anzutreffen und erfreute sich großer Beliebtheit und dies nicht nur wegen ihres tiefschwarzen Kleides. Zugegeben jedoch, daß auch eine gewisse Rassenmode hier eine zusätzliche negative Rolle gespielt hat.

2) In Deutschland und Österreich hat die überzogene Sorge, die Carnica-Rasse rein zu erhalten, zu einer Biene geführt, die zwar in ihren äußeren Merkmalen perfekt und sehr sanft ist, aber dies leider auf Kosten der Widerstandskraft und des Ertrages. Tatsächlich hat ihre Nosemaanfälligkeit zu enormen Auswinterungsverlusten geführt, während die angeborene, sprichwörtliche Resistenz gegen die Brutkrankheiten verlorenging. Die Wiederbelebung dieser Rasse, die sich neuerdings unbe-

streitbar und erfreulicherweise bemerkbar macht, kommt von "Einlagen", die man ungern zugibt und die nichts mit den Kriterien der Reinzucht zu tun haben, wie man sie bis vor kurzem gelehrt hat.

3) Das Zusammenbrechen von gewissen Italo-amerikanischen Stämmen, z.B. bei Berufsimkern in Europa, sind auch bedenkliche Zeichen, die eine Empfindlichkeit offenbaren, welche zum Teil auf das Züchten einer "schönen Biene" zurückzuführen sind.

Genauso steht es mit der italienischen Biene, welche man durch ungekünstelte Naturstämme, die man aus den "hinteren Tälern" herausholt, wieder zu beleben versucht. Kurz, überall kommt man wieder auf realistischere und natürlichere Regeln zurück.

Zuchtziele

Frage: Hat Bruder ADAM nicht als oberstes Ziel die wirtschaftliche Leistung gewählt?

Antwort: Ganz richtig. Alles faßt sich in einer zum billigsten Preis erlangten Ernte zusammen. Tatsächlich werden auch sehr hohe Ernten, die aber auf Kosten von mehr Ausgaben entstanden sind, unbarmherzig von der Zuchtauslese zurückgewiesen. Denn es gibt ein Verhältnis zwischen Honigernte und Zeitaufwand. Es sollte für den Imker so günstig wie möglich sein. Dieses Verhältnis beinhaltet direkt oder indirekt alle Zuchtziele, wie z.B. Sammeleifer, Krankheitsresistenz, Sanftmut, Schwarmträgheit, usw. Kranke oder stechlustige Völker kosten einfach mehr (Behandlungs-) Zeit.

Frage: Glauben Sie nicht, daß man mit diesen Grundsätzen sämtliche Poesie verliert und die Imkerei eine reine Geldmacherei wird? Ist letztlich Bruder ADAM nicht ein Gefangener von umweltfeindlicher "Leistung" um jeden Preis geworden?

Die Philosophie der Züchtung

Antwort: Ich liebe diese Frage sehr, denn zumindest stellt sie voran, daß Bruder ADAM eine Biene gezüchtet hat, die ein grosses Leistungsvermögen besitzt. Hingegen hat die Poesie nichts zu verlieren, wenn der Imker seinen Honig mit weniger Mühen und Unkosten erntet. Die Kunst, von der die Poesie ein Teil ist, hat den wichtigen Platz, den sie heute hat, nur erlangt, weil der Mensch sich ein wenig vom Existenzkampf befreien konnte.

Vergessen wir nicht, daß die Kunst erst richtig zur Geltung kam, als die Menschen sesshaft wurden, d.h. die Viehzucht und der Ackerbau rentabler war als die Jagd. Man wird den Imkern vorwerfen können, daß diese "gewonnene Zeit" nicht immer gut verwertet wird... Ich schlage aber vor, daß hier jeder am besten vor seiner Türe fegen sollte.

Frage: Sie vergessen den Aspekt der Umweltfrage! Es ist für mich sehr wichtig!

Umwelt und Züchtung

Antwort: Für mich auch! Denn seit 1960 habe ich aktiv mitgeholfen, die biologische Landwirtschaft in Frankreich einzuführen (Gründungsmitglied von Nature & Progrès) und dies speziell im Ober-Elsaß. Der echte Umweltschutz, der weder die Menschen noch die Natur haßt, ist nicht rückläufig und unrealistisch. Der Umweltschutz, so wie ich ihn verstehe, ist keine sanfte ideologische Träumerei, sondern oft ein hartes Arbeiten, um das zu retten, was noch zu retten ist, und das so schnell wie möglich, ohne jedoch das Gleichgewicht der Natur, die schon schwer belastet ist, noch zusätzlich zu gefährden.

In der Imkerpraxis hat das dreifache Bedeutung:

1) Wenn es möglich ist, starke, widerstandsfähige Bienenvölker züchterisch aufzubauen, bin ich kaum (nicht) gezwungen, Medikamente anzuwenden.

2) Vitale Bienen bringen außerdem mehr Honig von besserer Qualität, da keine Rückstände im Volk vorhanden sind, die sich zwangsläufig durch medikamentöse Behandlungen ergeben.

3) Starke Völker sichern gerade im Frühjahr die Bestäubung der Pflanzen durch ihre grosse Anzahl von Flugbienen besser.
Zudem geht die traditionelle Kleinimkerei langsam dem Aussterben entgegen. Ein Mindestmaß an wirtschaftlichem Erfolg ist für den Jungimker nötig, (und keine abhängig machenden Zuschüsse kommunaler oder gar staatlicher Herkunft...) damit er nicht gezwungen ist, die Familienkasse in Mitleidenschaft zu ziehen. Die Buckfastbiene ist manchmal noch die einzige Biene, die fähig ist, das Mindestmaß an "Befriedigung" (Ernte) zu geben, und da auszuharren, wo andere schon lange aufgegeben haben. Allein dadurch ist die sehr wertvolle, biologisch sogar notwendige Anwesenheit der Biene wieder oder noch gewährleistet.

Frage: Sie scheinen zu vergessen, daß eines der Ziele des Umweltschutzes darin besteht, die bodenständigen Arten von Pflanzen und Tieren, aber auch die einheimische Biene zu erhalten?

Die einheimische Biene und ihre Umwelt

Antwort: Das Problem der einheimischen Biene ist vielseitig. Vor allem müssen wir zugeben, daß die landwirtschaftlichen Großflächen das Landschaftsbild so radikal verändert haben, daß die einheimische Biene in ihrer eigenen Heimat fremd geworden ist. Sie war es gewohnt, Dauerwiesen, Hecken, Kleefelder und eine zahlreiche und mannigfaltige Blüte vorzufinden und zwar das ganze Jahr hindurch. Jetzt muß sie es verstehen, massive, frühe Blütentrachten auszunützen, um nachher fähig zu sein, eine lange Durststrecke in einer Zuckerrüben- Weizen-

und Maiswüste bis in das Spätjahr zu bewältigen, wo die Weizenfelder sofort nach der Ernte gepflügt werden.

Ein Hoffnungsschimmer ist die Gründüngung mit wildem Senf oder, welch Glück! mit Phazelia. Hier im Elsaß, gibt es neuerdings an Bachläufen Balsaminen, die den Bienen den Tisch noch ein kleinwenig vom Sommer bis ins späte Jahr decken. Unter diesen Bedingungen kann die einzige Feststellung nur folgende sein: Eine an diese neuen Bedingungen angepasste Biene oder überhaupt keine.

Frage: Sind Sie jetzt nicht bemüht, den Teufel an die Wand zu malen?

Antwort: Ja und nein.

Ja, weil es, wie oben gesagt, Bäche gibt, die wie die Ill (ein Nebenfluss des Rheins) Dämme besitzen, die erhöht wurden, um vor Überschwemmungen zu schützen. Die Flächen innerhalb dieser Dämme sind, Gott sei Dank, oft zu klein, um eine rationelle moderne Landwirtschaft zu ermöglichen. Somit gibt es hier für ein paar glückliche Imker eine kleine, aber "wilde" Bienenweide. Natürlich bietet das Wandern auch ein Ausweg aus diesen mißlichen Trachtlagen. Aber vergessen wir nicht, daß man Energie (auch die des Imkers...) für den Transport braucht und daß es oft "Völker-Rummelplätze" ergibt, wenn es nur auf kleinen Flächen honigt (Lavendel in Südfrankreich, Tannen in den Vogesen oder Schwarzwald...), die alles, nur nichts Biologisches sind.

Nein, weil die traditionelle Imkerei, die irrtümlicherweise oft als die biologische angesehen wird, in ihrem Wesen oft das Gegenteil ist. Man denke nur an die zu kleinen Wabenmaße oder die Stapelung von Bienenvölkern im naturwidrigen, aber so poetischen Bienenhaus. Ein Imker, der nicht wandert, kann kaum noch seine Existenz mit seinen Völkern fristen, wenn er in den oben beschriebenen Bedingungen imkert. Selbst im Vorgebirge der Vogesen, wo Wald, Hecken, Obstbäume und Wiesen zusammenkommen, ist es kaum möglich, weil die Giftschäden an den Bienen leider jährlich zunehmen. Ich kenne Imkervereine, in denen das

Durchschnittsalter der Mitglieder um die 70 Jahre ist. Präsident wie Kassierer sind alle beide über 80. Es gibt immer mehr Dörfer, in denen es mittlerweile keine Imker mehr gibt. Ich kann Ihnen noch viele unbestreitbare Beispiele solcher Art vorführen, wenn Sie es wünschen !

Frage: Nein! Danke! Aber sehen Sie, ich bin immer noch nicht überzeugt, daß die einheimische Lokalrasse unbedingt ausgeschaltet werden soll, selbst wenn sie nicht so rentabel ist!

Antwort: Bruder ADAM ist ein grosser Verteidiger dieser Rassen. Sein Buch "Auf der Suche..." (C.KOCH-Verlag) beweist dies zur Genüge. Oft würde es ausreichen, Schutzgebiete zu erstellen, die groß genug sind, um diesen Zweck zu erfüllen, damit noch gerettet werden kann, was noch zu retten ist. Kommen wir wieder zurück in das Elsaß, wo ich imkere. Hier ist der Traum, die Lokalrasse zu retten eine trübe Illusion, da von einer Rasse nicht mehr die Rede sein kann. Vor dem ersten und zweiten Weltkrieg wurden vielerorts eifrig Italienerköniginnen eingeführt. Nach dem Kriege wurden wieder verstärkt Carnica eingeführt. Diese Rasse war damals die grosse Mode, der ich, wie viele andere Imker verfiel. Dies alles zusammen bewirkt, daß die schwarze einheimische elsässische Biene recht vermischt ist, wohl aber immer noch vorherrscht, trotz aller Mühe, die man sich gegeben hat, sie zurückzudrängen. Aber von einer reinen Lokalrasse kann hier schon lange nicht mehr die Rede sein.

Die Illusion, man hätte hier noch eine echte Rasse, konnte sich noch halten, weil nur ein Kenner eine Kreuzung schwarzer und grauer Bienen auf den ersten Blick bemerken kann. Im besten Fall spricht man hier von einer F3/F4-Carnica, das bedeutet, höchstens 10 - 20% Carnica-Einfluss und 5 - 10% sonstige Einflüsse, die man durch etliche gelbe Flecken auf den Bienen feststellen kann. Den Grundstock bildet nach wie vor die schwarze Biene. So in etwa ist es um die "einheimische Biene" meiner Gegend bestellt.

Es soll scheinbar in den vergessenen Tälern der Ardèche oder in den Cévennen noch eine reine schwarze Biene geben. Imkerfreunde beschreiben sie als mittelfruchtbar, sehr sammeleifrig und eher stechlustig. Vielleicht besteht hier noch eine Möglichkeit, ein Schutzgebiet aufzubauen.

Es ist interessant festzustellen, daß man genau in diesen scheinbar verlorenen Gegenden oft auf Wanderstände trifft, die imkerlich sehr modern sind und von weit her kommen. In Frankreich wird viel mehr gewandert, als man oberflächlich betrachtet annimmt. Trotzdem sollte es nicht versäumt werden, ein Schutzgebiet zu errichten, wenn es sich lohnt, eine echt bedrohte Bienenrasse zu schützen. Falsch oder sogar unehrlich finde ich Meinungen solcher Imker, die eine eingeführte Bienenrasse plötzlich als die einheimische Biene betrachten, obwohl sie noch lange nicht das ganze Gebiet besetzt. Anscheinend entspricht diesen Imkern die echte einheimische schwarze Biene nicht. Ein klein wenig Ehrlichkeit und Respekt vor der Biene, die vor unserer da war, schadet niemandem, insbesondere nicht der Buckfast.

Frage: Ich schlage vor, jetzt das Rassenthema abzubrechen. Sehr wichtig erscheint mir, Ihre Betriebsweise mit dieser Biene kennenzulernen, die nicht ganz so wie die für andere Bienen ist.

Klarlegung

Antwort: Eingangs möchte ich betonen, daß ich nichts in der Imkerei erfunden habe, was erwähnenswert wäre. Alles, was ich nun erklären werde, stammt zum größten Teil von Bruder ADAM oder von seinen nächsten Imkerfreunden wie Franz und Alfons Fehrenbach aus Ravensburg, Günther Ries aus Kassel, Hans Beer aus Heideck und noch vielen anderen, die ich hier leider nicht alle nennen kann. Es sind dies alles erfahrene Buckfastimker, die mit dieser Biene schon teilweise zwischen 15 und mehr als 20 Jahren arbeiten.

Frage: Jedoch soviel ich weiß, sind Sie beruflich gesehen Hersteller des "Alvéole" (Zellenhonigbecher), den Sie erfunden haben, sowie einer Abstandsklammer für Rähmchen, eines Varroagitters, einer Pollenmühle, eines Feuchtigkeitsmessers, usw?

Antwort: Ja es ist wahr, den SAMAP Honigbecher habe ich gemacht und ehrlich gesagt bin ich darüber recht froh, so wie ich es auch über meine Mühle bin, die in Deutschland als "Elsäßer Getreidemühle" besser bekannt ist (Ihr Hauptzweck ist das Mahlen von Getreide; sie kann aber auch Pollen mahlen). Varroagitter und Abstandsklammer sind jedoch durch außerbetriebliche Anregungen entstanden. Wie Sie feststellen, hat dies keine Verbindung mit dem Imkern am Bienenvolk selber. Es ist also von mir nichts erfunden worden, von dem die Rede wert ist.

Frage: Wenn Sie also von "Ihrer" Betriebsweise in der eigenen Imkerei sprechen, dann meinen, daß Sie Ratschläge und Kniffe weiter geben, die Sie bei anderen gelernt haben?

Antwort: Unter diesem Gesichtspunkt fühle ich mich wohler. Nicht, daß ich von einer großen Demut begnadet wäre, aber das Erfindertum hat mich in meinen mehr als 45 Imkerjahren so viel gekostet, daß ich eigentlich jetzt meinen ganzen Stolz darin sehe, auf diesem Gebiet eher ein guter Schüler zu sein, als ein angezweifelter Erfinder. So jetzt glaube ich, daß es höchste Zeit wäre, von den Imkerei-Geräten zu sprechen, insbesondere über die Beute.

Der Ursprung der LANGSTROTH-und DADANT-BEUTE

Frage: Genau dies habe ich erwartet. Jetzt bin ich auf die Neuigkeiten gespannt, die Sie auf dem Gebiet der Beutenfrage anzuraten haben!

Antwort: Die Neuigkeiten, die ich Ihnen empfehlen werde, sind über 100 Jahre alt. Zuvor jedoch muß ich mir Luft machen und Ihnen sagen, daß ich etwas gegen die kopflosen Bastler habe, die damals nach DADANT gekommmen sind (inbegriffen sind sogar grosse namhafte Imker) und durch ihre zweifelhaften Erfindungen die Imkerei in teure Engpässe getrieben haben. Jedoch zurück zur DADANT-Beute, wie Charles DADANT sie erfunden hat - nicht zu verwechseln mit der später gekommenen DADANT-Blatt-Beute...

Frage: Ich muß Ihnen meine Schwäche für Geschichte innerhalb der Imkerei bekennen. Können Sie mir darum erläutern, wie diese Beute entstanden ist?

Antwort: Es wäre nicht verkehrt, sich zu erinnern, daß Charles DADANT am Anfang des letzten Jahrhunderts aus Frankreich nach den USA ausgewandert ist. Er war befreundet mit L.L. LANGSTROTH, dem Erfinder der ersten modernen Beute. Für ihn hat Charles DADANT & Sohn dessen zweite, überarbeitete Auflage des Buches "L'abeille et la Ruche" (Beute und Biene) herausgegeben. LANGSTROTH konnte dies aus gesundheitlichen Gründen nicht mehr tun. 1889 (also über 30 Jahre nach der Ersterscheinung), ist das Gemeinschaftsbuch von LANGSTROTH-DADANT erschienen. 1891 war es schon in französischer Sprache in Europa zu haben. Also vor hundert Jahren hätte man schon von einer "Weltimkerei" sprechen können. Dies erklärt zum Teil heute noch den relativen imkerlichen Erfolg dieser beiden Länder (USA-Frankreich), sowie den der Länder, die sich dieses Modell zu eigen gemacht haben.

Charles DADANT wohnte im Staate Illinois (wo seine Nachkommen immer noch leben), d.h. in einer Gegend, deren Winter recht rauh sein können. Diese Umstände haben ihn dazu bewogen, das Langstroth-Maß der Höhe nach zu vergrössern, um dadurch eine grössere Winterhonigreserve zu erlangen. Die Aussenmaße des Dadant-Rähmchens sind laut internationaler Norm, (d.h. also Rähmchenholz inbegriffen) eine Zusammenführung von zwei Rähmchenmaßen:

a) Die Breite kommt von LANGSTROTH: 44,8 cm (17" 5/8)

b) Die Höhe kommt von QINBY: 28,57 cm (11" 1/4)

Der geniale Gedanke von DADANT war, einen quadratischen Brutraum mit 12 Rähmchen zu bauen, der dem Bienenvolk eine grossräumige Beute bietet. Demzufolge hat die zwölfer LANGSTROTH-Beute dieselben Masse außer der Höhe. Diese zwei Beuten sind also stapelfähig.

Frage: Sie scheinen nicht nur ein zufriedener Anhänger der DADANT-Beute, sondern auch der LANGSTROTH-Beute zu sein? Beide werden von Ihnen benützt.

Antwort: Erraten! Tatsächlich verwende ich die LANGSTROTH-Beute für die Aufzucht der Jungvölker, da diese Beute dafür perfekt angepaßt ist. Die DADANT-Beute jedoch ist den Ertragsvölkern reserviert. Wie schon angedeutet, ist in diesem System, das ich übernommen habe, die LANGSTROTH- sowie die DADANT-Beute mit 12 Rähmchen vertreten und, es scheint mir wichtig, dies nochmals zu betonen, demzufolge auch stapelfähig.

Frage: Vorher gingen Sie mit den "kopflosen Bastlern" ins Gericht, die ständig Maße ändern?

Die verschiedenen Typen von DADANT-Beuten

Antwort: Die Veränderung an der LANGSTROTH-Beute durch Charles DADANT war vertretbar, ja sogar beispielhaft und weitsichtig. Charles DADANT hätte ruhig eine ganz originelle Beute erfinden, und weder LANGSTROTH noch QUINBY als Vorbild nehmen können. Er war bescheiden und intelligent genug, um es nicht zu tun. Der Beweis liegt darin, daß DADANT sich nie als Erfinder seiner Beute ausgab, sondern eher als der glückliche "Zusammensteller".

Hingegen versuche ich immer noch die tieferen imkerlichen Gründe zu verstehen, die zur französischen DADANT-Blatt-Beute geführt haben. Dieselbe Frage kann man auch unter anderem zur LANGSTROTH- und ZANDER-Beute stellen. Wenn man in diesen Räumen (d.h. grosses Volumen) und vitalen Bienen arbeitet, sind ein paar Millimeter mehr oder weniger in der Länge, Höhe oder Breite ganz gleichgültig - vorausgesetzt, daß das Grundmodell wie bei DADANT und LANGSTROTH in einer Art Gleichgewicht ist (wir werden noch mehreres über dieses Gebiet sagen). Für den Kleinimker hingegen sind aber diese kleinen Abweichungen eine schmerzhafte, nachteilige Sache. In diesem Fall muss der kleine Mann für die Ehre dieser "grossen Erfinder" büßen.

Frage: Soviel ich verstehe, sind es die Jungimker, die heutzutage am meisten unter diesen kleinlichen Maßverschiebungen zu leiden haben, denn dadurch wird die Serienanfertigung schwieriger, und somit teurer. Was schlagen Sie als Lösung vor?

Antwort: Es gibt kein Patentrezept. Persönlich konnte ich mit etwas Mühe meine Hohenheimer Zander-Beuten noch auf das Weltmaß LANGSTROTH "ummogeln". Daß ich mir bei dieser Arbeit beinahe den linken Daumen abgesägt habe, sagt genug, daß dies keine leichte Arbeit war. Jedoch es war machbar!

Für die DADANT-Beute war mir ein nicht leichteres Problem gestellt. Frankreich hat überwiegend das DADANT-Blatt, d.h. ein Rähmchen, das etwa 1,5 cm höher als die DADANT-Standardgröße ist und in der Breite etwa 2,8 cm kürzer. (Um sowas wurde jahrelang gekämpft, gepredigt und viel geschrieben ...).

Ich war gezwungen, Zanderrähmchen zu verwenden, weil dies mein Standmaß war. Dank der langen Tragohren dieses Modelles konnte ich wahlweise für den Anfang mit Langstroth und Zander arbeiten. Somit war ich aber gezwungen, DADANT-Standard für die Ertragsvölker zu verwenden, da, wie schon gesagt, DADANT-Blatt nicht ins LANGSTROTH-Standard paßt. Das bedeutete dann in der Praxis: Umschneiden des Wabenbaues mit allen Nachteilen.

Obwohl der französische Imker, seinem nationalen Charakter getreu, ein unbestrittener Individualist ist, gibt es hier keinen Rähmchensalat, eher ein kleines "Hors d'œuvre", das noch einigermassen zu "verdauen" ist. Warum der oft beispielhaft disziplinierte deutsche Imker so viele Rähmchenmaße erfinden konnte, bleibt für mich eines der größten Rätsel.

Hinzufügen möchte ich, daß man vorhat, die LANGSTROTH-Beute auf das Maß der DADANT-Blatt-Beute zu kürzen, jedoch ist man sich bewußt, daß man eben dann den Schritt weg vom Weltmaß "LANGSTROTH" macht und wahrscheinlich später einmal büßen wird.

Frage: Hat für Sie die zwölfrahmige DADANT-Beute nicht die Fehler, die ihr viele französischen Berufsimker vorwerfen, nämlich das Gewicht und demzufolge die notwendige Wendigkeit ?

Antwort: Ein deutscher Imker warf Bruder ADAM vor, daß er allein seine DADANT-Beuten nicht tragen könne. Daraufhin sagte Bruder

ADAM: "Ein Imker der seine Beuten alleine tragen kann, sollte besser das Imkern aufgeben".

Ich habe jedoch das Gefühl, daß die Frage von falschen Annahmen ausgeht. Bekanntlich geht in Frankreich die Tendenz zu zehnrähmigen Beuten. Dies erklärt sich meiner Meinung nach eher durch einen Rückgang der Fruchtbarkeit der einheimischen Biene, die diese große Beute jetzt schlecht ausfüllt. Früher gab es im Gatinais 15er DADANT!

Die Imker, die mit der italienischen Biene arbeiten, imkern hingegen meistens mit zwei Bruträumen der zehnrähmigen LANGSTROTH-Beute oder mit einer 12er DADANT-Beute. Die Beute muss eben wie ein maßgeschneidertes Kostüm passen.

Demzufolge sollte jede Rasse eine auf ihre Fruchtbarkeit zugeschnittene Brutraumgrösse haben, um einerseits das Schwarmproblem und andererseits die Honigablagerung im Griff zu haben.

Das soll natürlich noch lange nicht heißen, daß man hunderte von Rähmchenmassen braucht, 3 bis höchstens 5 Beutenmaße können meiner Meinung nach alle Wünsche der Imker für die verschiedenen Rassen und Gegenden mehr als ausreichend erfüllen. Die Buckfastbiene besetzt eine 12er DADANT-Beute perfekt und der Imker, der Honig von unbebrüteten Waben ernten will, was heutzutage im Konkurrenzkampf um den Honig sehr wichtig sein kann, braucht somit seinen stärksten Völkern keinen Aufsatz unter das Absperrgitter zu geben, damit die ganze Brut Platz hat. In diesem Fall ist somit der Gewichtsvorteil der zehnrahmigen DADANT ein Nachteil geworden, vorausgesetzt natürlich, daß diese Beuten auch einen Unteraufsatz wie ich ihn habe, benützen.

Andererseits habe ich Mühe, die Kollegen zu verstehen, die das Bienengewicht in einer Beute kritisieren. Sind es nicht dieselben, die schon im Februar mit allem möglichen und unmöglichen Reizfutter zum Bienenhaus stürmen? Ihr Ziel, so mich nicht alles täuscht, ist es wohl, früh starke Völker aufzubauen, denn allein "große Armeen gewinnen die großen Schlachten". Wahr ist es hingegen, daß dieselben Imker sich über das Schwärmen oder das lästige obligatorische Schröpfen beklagen.

Der Vorteil der 12er DADANT-Beute gegenüber der 10er DADANT-Beute ist, entgegen allgemeiner Annahme nicht nur in guter Tracht bemerkenswert, sondern auch bei Schlechtwetterperioden. In diesem Fall kommt es auf die seltenen Flugstunden an, die die Differenz im Ertrag erklären. Tatsächlich sind es dann die großen, starken Völker, die allein fähig sind, ihre Futterreserven wieder leicht zu ergänzen. Schwächlinge schaffen dies nicht und müssen gefüttert werden. Irgendwie gibt es in einer großen Beute ein Verhältnis zwischen Ausmaß des Brutnestes, der Fruchtbarkeit der Königin, der Volkstärke, der Anzahl der Flugbienen und noch anderer unbekannter Faktoren. Ist dieses Verhältnis günstig, bewirkt es ein enormes Leistungsvermögen in der Tracht.

Alle Faktoren zusammen entscheiden schließlich über das Wohlergehen des Volkes, an dem der Imker zuerst interessiert ist. Der Nachteil des sogenannten Mehrgewichtes lässt mich an den französischen Volksmund denken: "Beklagt euch nicht, daß die Braut zu schön sei".

Mir sind Berufsimker bekannt, welche die 12er DADANT-Beute zunächst ohne Bedauern verlassen hatten. Als sie jedoch mit einer fruchtbaren Bienenrasse oder Linie imkerten, nahmen sie die ursprüngliche Wabenzahl spontan wieder auf. Was bei solchem Wechseln der Beuten öfters nicht gesagt wird, ist die Tatsache, daß es oft einen wirtschaftlichen Engpaß gibt. Wenn diese Imker es trotzdem tun, dann deshalb, weil die Ernteergebnisse der kleinen Beute oder 10er DADANT gegenüber der 12er DADANT um mehr als 20% differieren. In Wirklichkeit könnte schon eher von 50%, ja sogar von 100% die Rede sein.

Zudem behaupte ich, daß ein mit 12er DADANT-Beuten beladener LKW, der z.B. 3 t Nutzlast hat, dem Imker weit mehr einbringt, als derselbe LKW, der 3 t 10er DADANT geladen hat. Das Verhältnis zwischen totem Gewicht (Kiste, Rähmchen, Wachs, Boden usw...) und Bienen und Brut schlägt freiweg zugunsten der 12er DADANT aus. Man transportiert eben mehr vitale Last, deren Zweck es ist, sich auf eine Ernte zu "stürzen".

Ich möchte hier noch nicht vom physiologischen und biologischen Wohlergehen des Bienenvolkes in einer 12er DADANT-Beute sprechen. Dieses Thema werden wir später gründlicher erläutern.

In aller Aufrichtigkeit sei aber gesagt, daß ich hin und wieder bei etlichen Wanderungen eine Art Sehnsucht nach ultra-leichten Einheiten verspüre oder Sehnsucht nach einer ausgefeilten Mechanisierung, über deren Kosten ich in diesem Moment keine Überlegungen anstellen möchte. So waren z.B. 1986 bei der Rückwanderung aus der Tanne die Brutnester total verhonigt. Obwohl die Aufsätze leer waren, wogen meine DADANT-Beuten noch 60 bis 70 kg, was mir die Waage unerbittlich zeigte. Sehnsucht nach leichten Beuten stellte sich aber beim Schleudern nicht ein.

Mein Freund Günther RIES (3501 Ahnatal-Heckershausen, Obere Weinbergstr. 24) in der Nähe von Kassel, hat in seinem beispielhaften Büchlein (Selbstverlag) unter dem Titel "Meine Erfahrungen mit der Buckfastbiene im Kasseler Raum" klar bewiesen, daß mit Hilfe von kleinen technischen Kniffen ein Transport von 12er DADANT-Beuten alleine ohne weiteres möglich ist. Es ist beileibe keinem Imker verboten, intelligente Systeme anzuwenden, um die Beuten nicht alleine tragen zu müssen.

Hinzufügen möchte ich eine, mich immer wieder überraschende Beobachtung: Die Buckfastimker sind selten Einzelgänger, welche alleine in ihrem Versteck kämpfen müssen. Ich erkläre mir diese sympathische Eigenart damit, daß sie im Grunde keine "Geheimnisse" zu bewahren haben und die Genugtuung haben, unter denen zu sein, die ein "wenig" mehr ernten und demzufolge auch ein gewisses "Mehr" tragen können.

Die Aufsätze von Bruder ADAM

Frage: Sie haben die Maße Ihrer Aufsätze noch nicht genannt!

Antwort: Noch einmal sei betont, daß ich nichts erfunden habe; alles habe ich übernommen, insbesondere die Verwendung der LANGSTROTH-Beute. Diese Idee verdanke ich den Gebrüdern FEHRENBACH, die in einer ähnlichen Gegend wie ich imkern. Der Aufsatz (Honigraum) hingegen ist genau der von Bruder ADAM. Er hat eine Aussenmaßhöhe von 15 cm, das Rähmchen 14,1 cm. Daß die Breite dieselbe wie die der LANGSTROTH- und DADANT-Rähmchen ist, nämlich 44,8 cm, braucht nicht mehr besonders betont zu werden.

Frage: Warum ist dieser Aufsatz ungefähr 2 cm kleiner wie der der DADANT-Blattbeute?

Antwort: Die Hauptgründe für diese Wahl scheinen mir folgende zu sein:

1) Mit Honig vollgetragen hat der Aufsatz von Bruder ADAM ein noch annehmbares Gewicht (20 - 25 kg).

2) Das Aufsetzen dieser niedrigen Zarge bewirkt keine Verkühlungsgefahr für Brut und Volk.

Rähmchenabstände im Honigraum

Frage: Wieviel Rähmchen sind in der Beute von Bruder ADAM enthalten?

Antwort: Wie in den meisten Aufsätzen (in Frankreich) wird mit Dickwaben gearbeitet. Bruder ADAM verwendet nur 10 Rähmchen in seinem Aufsatz, was einen Abstand von 46 mm ergibt. Das tote Gewicht ist somit verringert, ohne daß jedoch das Nettogewicht des eingetragenen Honigs abnimmt, im Gegenteil.

Frage: Die Verwendung von 10 Rähmchen überrascht mich. 11 Rähmchen an Stelle von 12 Rähmchen würde ich mir eher vorstellen können. Haben Sie damit keine Probleme mit Wildbau?

Antwort: Zunächst sei bemerkt, daß meine Aufsätze schnell und gut ausgebaut werden. Sicher gibt es hin und wieder Quer- oder Zwischenbau; jedoch nicht mehr wie in einem 11-rahmigen Aufsatz. Besonders bei guter Tracht ist ein zügiges Ausbauen zu beobachten. Wenn Wildbau vorhanden ist, so wird dieser entfernt und das nächstliegende Rähmchen (oder beides) wird um 180 Grad gedreht. Ein gutes, genaues Einbringen der Mittelwände ist in diesem Falle eine selbstverständliche Notwendigkeit.

Frage: Trotz allem bin ich verwundert, daß der 46-mm-Abstand der Rähmchen nicht mehr Probleme ergibt?

Antwort: Auch ich war Anfangs verwundert. Teilweise geklärt finden Sie den Sachverhalt im vorzüglichen Büchlein von Herrn SCHUNDAU: "So imkern wir in der Seegeberger Kunststoff-Magazinbeute"; dort lesen wir in etwa, daß LANGSTROTH und DADANT eine verstärkte Oberleiste, d.h. 20 mm für das Brutnest - 13 mm für das Aufsatzrähmchen, gewählt haben, damit die Bienen nicht über dem Rähmchen soviel Propolis ablegen, wie es beispielsweise bei einer 10 mm starken Oberleiste der Fall wäre.

Ein anderer Faktor scheint mir auch wichtig zu sein, nämlich die Breite der Rähmchenleisten von Bruder ADAM, die bei 29 mm liegt, gegenüber 24 oder eventuell 25 mm bei den anderen Beuten. Der freie Platz zwischen 2 Rähmchen ist folglich 17 mm (46 - 29 - 17). Mit einem 11er Aufsatz mit Rähmchen von 24 mm beträgt der freie Platz 17,8 (41,8 - 24 - 17,8). Wie Sie feststellen können, ist die Möglichkeit zum Überbauen in beiden Aufsätzen praktisch die gleiche.

Stabile Rähmchen

Frage: Sie haben soeben den stabilen Bau der Rähmchen in Ihren Beuten erwähnt. Stehen wir hier nicht vor einer gewissen Übertreibung auf Kosten von Lebensraum?

Antwort: Anfangs hegte ich dieselben Gedanken. Nur allein die erlangte Gewißheit, daß ich bei Bruder ADAM vor einem ausgefeilten Imker-System stand, das er selber von den fortschrittlichsten Imkern Anfangs dieses Jahrhunderts übernommen und noch und noch geprüft hatte, hinderten mich zum Glück, meine privaten Änderungen zu machen, trotzdem sie entgegen meiner damaligen Imkerlogik waren. Meine Buckfastfreunde hatten es nicht immer leicht, meine eindringlichen Fragen und Gegenfragen befriedigend zu beantworten.

Die Praxis, die höchste Meisterin der Imkerei, hat mir dann bald bewiesen, daß ein DADANT-Bruträhmchen eine beständige Festigkeit haben muß. Wenn, wie 1986, viel Tannenhonig in den Brutraum gelangt, so ist es nicht selten, daß solch ein Rähmchen die 4 kg überschreiten kann. Gewiss, das LANGSTROTH-Rähmchen bräuchte nicht unbedingt eine solch starke Oberleiste. Allein aber der Grund, daß man solch ein Rähmchen immer wieder verwenden kann, ohne daß das Holz nachgibt oder repariert werden muß, begründet noch zusätzlich die unbedingte wirtschaftliche Notwendigkeit der Standardisierung.

Frage: Sind die zwei Seitenleisten der Rähmchen auch so superstark angefertigt?

Antwort: Außer daß das Holz 29 mm an Stelle von 24 oder 25 mm breit ist, gibt es keine Maße über die klassischen 10 mm, ausgenommen die schon besprochene Oberleiste. Die Rähmchen sind verzapft und werden noch zusätzlich vor dem Vernageln geleimt.

Abstand der DADANT-Rähmchen im Brutraum

Frage: Wie Sie wissen, hat der Rähmchenabstand allerlei Imker-Polemik entfacht. Ch. DADANT hat seit jeher den 38er Abstand angeraten. Was tun Sie?

Antwort: Ich habe mich versuchsweise für den 36 mm Abstand entschlossen aus dem einfachen Grunde, weil ich bestrebt war, das erste Rähmchen gut aus der bei mir immer vollen DADANT-Beute herausholen zu können. Diese Maßnahme hat sich als glückliche Lösung erwiesen, weil meine DADANT-Modellbeute durch unglückliche Umstände unter dem Standardmaß war. Somit ist es mir noch gut möglich, meine Rähmchen leicht zusammenzurücken, um das erste Rähmchen ohne Zerdrücken der Bienen ziehen zu können. Jedoch kann man bei allem Respekt vor dem Standardmaß ruhig auf 38 mm gehen, da 38 x 12 - 456 mm ausmacht und die Beute innen 465 mißt.

Im Sommer halte ich einen Abstand von 38 mm ein, im Winter drücke ich die Rähmchen auf 36 mm zusammen, damit die zwei Außenwaben von der Wand entfernt sind und somit weniger Gefahr der Schimmelbildung besteht. Letztere ist wohl sehr selten, trotz Fehlen einer Lüftung im Boden. Ich möchte es nicht versäumen darauf hinzuweisen, daß es immer besser ist, die Maße von einer Zeichnung zu entnehmen als von einem Modell, das durch Gebrauch von z.B. nassem Holz oder ungenauer Anfertigung mehr oder weniger vom Standardmaß abweichen kann. Hinzufügen möchte ich noch, daß ich keine Hoffmannsrähmchen verwende (Bienenquetsche), sondern neuerdings Kunststoffabstandskegel, die in meinem Betrieb hergestellt werden.

Die Holzdicke der Beuten

Frage: Sie sind sehr auf die Haltbarkeit der verschiedenen Teile Ihrer Beute bedacht. Welche Holzstärke verwenden Sie für Ihre Beuten?

Antwort: Für alle Teile der Beute wird 22 mm starkes Holz verarbeitet, d.h. 3 mm weniger wie hier allgemein üblich.

Frage: Sie überraschen mich sehr! Wie erklären Sie diese Schwächung gegenüber der allgemeinen "Norm"?

Antwort: In den USA sind die Beuten aus 19 mm dickem Holz. Jedoch muß betont werden: aus Holz erster Qualität. Wie Bruder ADAM habe ich mich folglich auf 22 mm festgelegt, jedoch muss auch hier mit Qualitätsholz gearbeitet werden. Ein Versuch mit Holz minderer Qualität hat mich leider den Unterschied schmerzhaft erleben lassen.

Die Holzverbindungen müssen von dauerhafter Konstitution sein. Die Kisten von Bruder ADAM, die über 50 Jahre Dienst aufweisen, erwecken klar den Eindruck, daß sie noch einmal solange halten werden. Sie halten den Vergleich mit Kisten aus 25 oder gar 27 mm Holz ohne weiteres aus.

Die Eckverbindungen werden durch ein Verzinken und Verschrauben mit rostfreien Schrauben gewährleistet. Somit bleibt alles fest zusammen. Eine Beute, schwer beladen mit Bienen und Bau, sollte auf den Boden fallen können, ohne daß die Verbindungen nachgeben. Scheinbar sind diesbezüglich alle anderen Holzverbindungen von zweifelhafter Haltbarkeit.

Beutenschutz

Frage: Und wie steht es mit dem Beutenschutz?

Antwort: Ich sehe vor allem den Schutz des Holzes. Da sich meine Beuten in Freiaufstellung befinden, ist dies eine Selbstverständlichkeit, die sich bezahlt macht.

Vieles habe ich ausprobiert mit dem Resultat, daß alle 2 bis 3 Jahre gestrichen werden muß. Eine Ausnahme bilden die LESONAL-Farben (damals von Hohenheim empfohlen) mit 2 Grundanstrichen und einem Alu-Pigment. Gut angebracht, hält diese Farbe 15 Jahre. Das norwegische OXAN scheint mir auch vielversprechend und sehr einfach im Anbringen zu sein (wasserlösliche Farbe). Letztendlich habe ich mich jedoch für das zehnminütige Eintauchen in mikrokristallinem, synthetischem Wachs bei 135 - 150 Grad entschlossen. Dieser Schutz befriedigt mich sehr, zumal ein schnelles Wiederanbringen dieses Schutzes gut möglich ist. Ein weiterer Vorteil ist eine gründliche Desinfektion. Also zwei Fliegen mit einem Schlag!

Frage: Es ist bekannt, daß das Heißbad mit dem fälschlich "Paraffin" genannten Präparat mit hohem Schmelzpunkt der beste Beutenschutz sein soll, aber mir will nicht einleuchten, daß die üblichen Holzleime für solche Temperaturen geeignet sind.

Antwort: Dieses Problem hat mir anfänglich Kopfzerbrechen bereitet; seit ich jedoch "BALKOTAN" verwende, ist auch dieses Problem gelöst. Trotz allem rate ich, die Verleimung der Beute systematisch mit Schrauben oder mindestens mit Schraubnägeln zu verstärken.

Das Imprägnieren im heißen Wachsbad

Frage: Das Imprägnieren der Beute in speziellem Wachs kommt im Grunde einem gewöhnlichen Kochen von Pommes Frites gleich. Gewiss ist das Holz sehr gegen Fäulnis geschützt, aber leider auch dann ganz undurchlässig. Viele Imker möchten aber, daß das Holz weiter "atmen kann", wie man so sagt.

Antwort: Ich weiß nicht ob ich hundertprozentig recht habe, aber ich beobachtete folgendes: Das Holz ist in meinen Beuten sehr schnell von einer mehr oder weniger dünnen Propolisschicht überzogen. Folglich scheinen die Bienen ein "Holzatmen" nicht besonders zu schätzen. Ein Strohkorb wird in kurzer Zeit von den Bienen so dicht gemacht, daß er Wasser weder nach Außen noch nach Innen dringen lässt. Ein Versuch wird Sie überzeugen!

Wenn das Holz, wie behauptet wird, Wasserdampf oder einfach Wasser durchläßt, was ja der Sinn dieses Atmens sein soll, so wird es ein nasses und kaltes Hindernis, das im Winter oft Monate braucht, um zu trocknen (jedoch nicht solange, um zu faulen). Dies ist genau das Gegenteil dessen, was ich erreichen will. Ich denke, daß dies der Grund ist, warum die Wildschwärme seit Jahrtausenden das Innere der hohlen

Bäume (oft zusätzlich durch Fäulnis ausgehöhlt) mit ihrem Hausmittel Propolis überziehen.

Frage: Dieses Imprägnieren hat doch sicher Nachteile. Wird das Holz nicht bedeutend schwerer?

Antwort: Sie werden sicher verwundert sein. Das Holz wird durch die Hitze des Bades energisch getrocknet, d.h. das Wasser entweicht als Dampf und das Paraffin (oder besser gesagt das *microkristalline, synthetische Wachs) nimmt dann diesen Platz ein. Weil aber das spezifische Gewicht der beiden Produkte annähernd gleich ist, kann die Gewichtszunahme vergessen werden.

Hingegen bewirkt dieses Heißbad ein energisches Trocknen, was wiederum eine Schrumpfung zur Folge hat, die man beim Beutenbau in Betracht ziehen muß. Der Schwund kann bei einer DADANT-Beute, je nach Holz, von 5 - 8 mm gehen (in der Höhe der Beute bei DADANT muß das Maß von 305 mm auf 310-313 mm aufgerundet werden). Die Schrumpfung des Holzes der Länge nach ist unbedeutend.

PARAFFIN
OXANE
PARAFFIN

Frage: Damit sind wir nun gut im Bilde. Sagen Sie bitte auch etwas über die Wabenträger, Böden und Deckel.

Der Wabenträger

Antwort: Der Wabenträger im Brutraum ist ein Profilblech (siehe technische Zeichnung am Ende des Buches). Er ist so gebaut, daß die Waben gut angehoben werden können und ein Zerdrücken von Bienen selten ist. Auch das Propolisieren ist den Bienen erschwert. Ich kann mich einfach nicht für ins Holz geschnittene Nuten begeistern. Der Honigraum ist mit Aussparungen versehen, in welche die Rähmchen genau passen, was Abstandsstifte erübrigt, die beim Entdeckeln und Schleudern stören können. Weil das Rähmchenohr genau in die Aussparung paßt und vom Deckel oder dem darauf stehenden Aufsatz gut abgedeckt wird, ist ein Propolisieren belanglos, aber der 46 mm-Abstand ist gewährleistet.

Der Boden

Frage: Wir müssen unbedingt über den Boden sprechen, da hier die Meinungen der Imker weit auseinandergehen.

Antwort: Ich behaupte nicht, daß ich den besten Beutenboden besitze; neue Bedingungen können den Imker zu gewissen vorsichtigen Erneuerungen führen, insbesondere die Art und Weise der Varroabekämpfung. Alle meine Bruträume, DADANT sowie LANGSTROTH, sind ohne jeglichen Falz. Der Boden hingegen hat einen kleinen Falz, der sich in das Innere des Brutraumes einpaßt, jedoch nicht in die Wandung des Holzes selber. Somit ist er vor Regen geschützt, welcher an der Beutenwand herunterrieselt. Der Boden ist aus wasserfestem Sperrholz oder aus mehreren Brettern gefertigt (wegen der Dehnung) und ist leicht zum Flugloch hin geneigt, damit das Kondenswasser abfließen kann. Ebenso erleichtert diese Konstruktion den Bienen das Hinaustragen des Gemülls.

Das Flugloch

Das Flugloch hat drei Öffnungsmöglichkeiten:

a) Größte Öffnung, d.h., daß die 44 cm innere Gesamtbreite des Bodenbrettes sowie die ganze freie Höhe von 22 mm Eingang bieten. Diese Öffnung wird bei ergiebiger Tracht und starken Völkern im Sommer benützt.

Der Wert dieser großen Öffnung wurde mir klar, als ich das sehr rege Ausfliegen früh morgens bei der Tannentracht beobachtete. Ein Abwiegen eines Volkes kurz vor dem Ausfliegen und dann kurz nach dem ersten massiven Heimkehren der honigbeladenen Bienen ergab eine Gewichtsdifferenz, die vieles erklärte. Demzufolge ist es wichtig, daß das rege Ein und Aus der Bienen ungestört bleibt und nicht unnötig zum Stau während dieser "Stoßzeiten" führt. Nicht zu vergessen ist die bei der Rapstracht so hochwichtige Ausscheidung des Wassers vom eingetragenen Nektar. Dies alles soll für die Bienen so leicht wie nur möglich geschehen. Nebenbei möchte ich den Gebrauch der "Pesoruche" (eine tragbare Waage, die mit speziellen aber einfachen Beutenträgern zusammen funktioniert) betonen. Dieses Gerät leistet mir unentbehrliche Dienste, weil ich Aufschluß über das Gewicht eines Volkes ohne jegliche Störung bekomme.

b) Die oben beschriebene Öffnung kann mit einer Fluglochleiste versehen werden, welche den Durchgang auf 310 x 12 mm verringert. Dies entspricht dem Frühjahrsflugloch oder dem Sommereinflug für Jungvölker oder schwächere Völker.

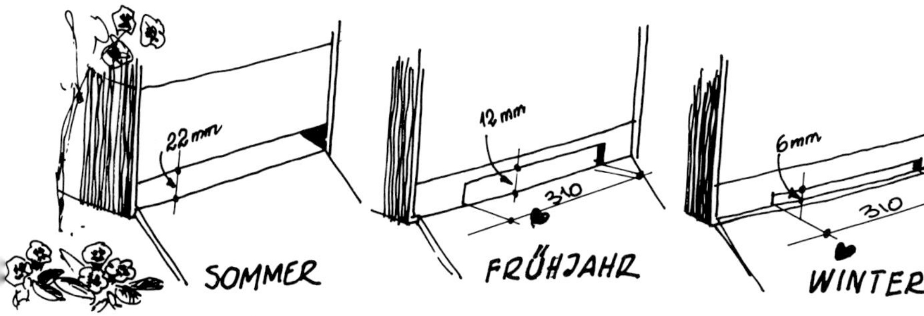

c) Im Winter wird wie üblich eine andere Fluglochleiste verwendet, die die Öffnung auf 6 x 310 mm verringert, damit auch den kleinsten Mäusen der Eintritt verwehrt bleibt.

Frage: Wenn ich Sie richtig verstehe, ist es wichtig, daß ein großer Abstand zwischen der unteren Wabenleiste und dem Boden besteht?

Antwort: Unbedingt! Der freie Raum unter den Waben beträgt etwa 300 mm. Auf alle Fälle genügt er für die Lüftung der Beute.

Frage: Vorher sprachen Sie von "vorsichtigen Erneuerungen": An was dachten Sie? Soviel ich weiß, sind Sie kein Liebhaber von ständigen Erneuerungen?

Die Varroaprobe

Antwort: Wenn ich von vorsichtigen Erneuerungen spreche, dann deshalb, weil die Varroabekämpfung immer wieder mit dem Beutenboden zu tun hat. Jedoch aufgepasst! Was heute auf diesem Gebiet. das A und O ist, kann morgen schon vergessen sein. Die großen Varroamittel kommen und gehen, jedes mit seiner speziellen Anforderung an die Beute. Der Boden soll aber über Jahrzehnte hinaus dienen...

Frage: Die Varroa-Milbe und alles, was ihre Bekämpfung betrifft, ist für mich von Interesse. Zögern Sie also nicht, mehr darüber zu sagen, selbst wenn es aus dem Rahmen der Besprechung der Imkereigeräte fällt, in der wir uns jetzt befinden. Was tut man momentan in Frankreich gegen die Varroa ?

Antwort: Wie schon gesagt, gehen in letzter Zeit Versuche auf diesem Gebiet in alle möglichen Richtungen und eine internationale Information ist beileibe kein Luxus, wenn man auf ein Ausmerzen dieses Bienenfeindes kommen will, ohne dem Bienenvolk. und dem Honig zu schaden.

Frage: Wichtig scheint mir auch die Frage, ob sich in Frankreich Wege anbahnen, die eine biologische, d.h. eine giftlose Bekämpfung erlauben. Auch möchte ich wissen, wie es mit den Akariziden steht, die ja amtliche Genehmigungen voraussetzen. Auf alle Fälle ist ein Blick über den "EG-Zaun" (den die Varroa ohne Erlaubnis überschritten hat...) nicht unnütz!

Antwort: Eingangs möchte ich vor allem die deutschsprachigen Imker auf ihre zuständigen Veterinärämter und Seuchenämter verweisen. Dort wird ihnen die Hilfe geboten, die sie normalerweise brauchen.

Wenn ich auf die ersten Befallsjahre zurückschaue, muß ich zugeben, daß wir hier im Elsaß 1982 mit der Varroa viel Glück hatten. Sowohl genossenschaftlicherseits wie wissenschaftlicher- und amtlicherseits wurden wir von sehr klugen, tatkräftigen und vorsichtigen Leuten beraten. Anfänglich durften wir versuchsweise den Wirkstoff AMITRAZ verwenden und konnten somit unsere Völker sowie ihre Königinnen retten. Später wurde dann dieses Mittel amtlich anerkannt und zugelassen (ANTI-VARROA von Schering mit 12,5 % Amitraz als Wirkstoff). Es ist jetzt in steter Verwendung. Wir verdanken es Dr. Collin und den Verantwortlichen des Unterelsässischen Imkervereines, daß hier alles so gut abgelaufen ist und sämtlichen Imkern geholfen werden konnte. Zur gleichen Zeit bemühte man sich um "sanftere" Mittel, die jedoch nicht sofort den so erhofften Erfolg brachten. Somit blieb man dem Amitraz treu, insbesondere, weil sich der anfängliche elsäßische Großversuch, wie schon gesagt, durch eine amtliche Genehmigung auf ganz Frankreich ausbreiten konnte. Im Süden Frankreichs, in dem seit 1983 die Varroa über Italien eingedrungen war, ging es etwas hektischer her, weil mit der Varroaplage in diesem Gebiet niemand rechnete und noch dazu, weil dort viele Berufsimker mit sehr großen Völkerzahlen überwinterten. Vom Süden habe ich Meldungen, daß jetzt schon Resistenzerscheinungen gegenüber Amitraz vorhanden sein sollen, die jedoch noch zu beweisen sind. Das Problem im Süden ist, daß das Brutgeschäft im Winter nicht zum Stillstand kommt und somit öfteres Pflegen notwendig wird, was aber auch eine falsche Resistenzdiagnose erklären könnte. Von dort kommen aber auch Meldungen, daß Imker mit pflanzlich-ätherischen Ölen und Diffuseur erfolgreich ihre Bienen pflegen.

Sie verwenden 20 ml (cm^3) Pflanzenöl von 11 verschiedenen Pflanzen. Diese 20 cm^3 werden mit 50 cm^3 "Labrafile" vermischt und nachträglich im Wasserbad warm gemacht. Dann wird Emulgine B3 (sie ist etwa wie kristallisierter Honig) im lauwarmen Wasserbad flüssig gemacht. 50 cm^3 davon werden dann mit der obigen Mischung im lauwarmen Zustand vermengt, in 1 Liter lauwarmes Wasser gegeben und gut vermischt (schütteln). Die Lösung nimmt eine milchige Farbe an. Es sollen keine Flocken entstehen. Die 20 cm^3 Pflanzenöl bestehen, wie schon gesagt, aus 11 Pflanzen, die alle in derselben Dosierung beigemischt werden: roter Thymian, Oreganum, Eukalypthus, Wacholder, Nelkenfrucht, Lavendel, Orangen, Zitronen, Rosmarin, Kiefer, Pfefferminze.

Exakte Vergleichsversuche mit Amitraz haben total gleiche Resultate ergeben. Um jedoch sicher zu sein, hat man als zusätzliche Prüfung die mit Amitraz sowie mit Pflanzenöl gepflegten Völker mit Perizin geprüft, was die obige Gleichheit der Reslutate bewies.

Jedoch sollte man aus diesen einzelnen, aber wohl ernsten Versuchen keine endgültigen Schlüsse ziehen. Der Diffuseur muss genau geregelt sein und darf nie weniger als 0,5 l Lösung beinhalten.Die Imker, die dieses Mittel verwenden, müssen sich davor noch besser schützen, als vor Amitraz (Gasmaske), da es, wie mir von einem Berufsimker gemeldet wurde, nach einem Tag Völkerpflege Unwohlsein auslöst.

Bei nicht fachgerechtem Mischen ist die Lösung nicht brauchbar, weil "flockig" usw. Obwohl diese Mittel jedoch von der breiten Öffentlichkeit als "natürliche" empfunden werden, den Honigverkauf also nicht in schlechtes Licht stellen, so muss der Ehrlichkeit halber zugegeben werden, daß auch diese Mittel dem Bienenvolk irgendwie zusetzen und demzufolge einer echten biologischen "Philosophie" nicht genügen.

Frage: Man spricht immer mehr von Pyrethrum, einem neuen Mittel. Was halten Sie davon ?

Antwort: Grundsätzlich bin ich dagegen, daß der Imker ohne Kenntnisse und ohne ein festes Programm seine Völker als Versuchskaninchen verwendet. Zuviele Völker müssen bei solchen Versuchen unnütz und oft schmerzhaft (eine Biene ist ein Tier, das gewiss auch leidet) zu Grunde gehen. Auf diesem Gebiet hat die Wissenschaft eher als der Imker ihre wichtige Rolle zu spielen.

Frage: Soviel mir bekannt ist, war es ein Imker und nicht ein Wissenschaftler, der als erster Ameisensäure verwendet hat. Man hört selten

den Namen dieses Entdeckers seitens der Wissenschaftler, die diese Idee scheinbar übernommen haben.

Antwort: Wissenschaftler, inbegriffen die Bienenwissenschaftler, sind auch nur Menschen. Jedoch gibt es solche, die fähig sind, mit Praktikern zusammenzuarbeiten, um deren Anstössen Rechnung zu tragen. Wenn mich nicht alles täuscht, ist es das Ziel der imkerlichen Wissenschaft, dem Praktiker Hilfen zu bieten. Bienenwissenschaft sollte nicht zum Selbstzweck betrieben werden. Kluge Imker jedoch sollten sich viel mit solchen Wissenschaftlern abgeben und nicht mit billiger Geheimnistuerei, die das oft angespannte, aber gute Verhältnis zwischen Imker und Wissenschaft stört. Daß es offene Wissenschaftler für solche Beziehungen gibt, beweist der oben genannte Dr. Collin und besonders die jungen Wissenschaftler scheinen mir diesbezüglich, von wenigen Ausnahmen abgesehen, vielversprechend für die Imkerei zu sein.

Frage: Hoffen wir, daß Sie mit dieser verheissungsvollen Sicht der Sache recht haben. Ich möchte aber diese Gelegenheit wahrnehmen und Ihnen sagen, daß ich oft den Eindruck habe, daß die Buckfastbiene sowie die Arbeit von Bruder ADAM nicht die volle Anerkennung der Wissenschaft genießen.

Antwort: Diese Frage hat eigentlich wenig mit dem soeben angeschnittenen Varroaproblem zu tun. Um jedoch unserem Gespräch seine ganze Freiheit zu lassen, gehe ich gerne auf diese etwas "spitze" Frage ein. Wollte ich mich aus der Schlinge ziehen, so könnte ich Sie einfach wieder auf den Mönch MENDEL verweisen, der 1865 die Grundlagen der Erbgesetze veröffentlicht hatte, die aber erst 1900 vom großen H. de Vries "wiederentdeckt" wurden. Die damalige Wissenschaft war unfähig (eher unreif), diese geniale Forscherarbeit anzuerkennen. 1884 ist Mendel unverstanden und unbekannt gestorben. Ich könnte einfach sagen: "Nichts Neues unter der Sonne" und beifügen, daß es Bruder ADAM genauso geht !

Dieses Bild stimmt jedoch nicht ganz. Mendel ist ein unbekannter geblieben, trotz des hohen Wertes seiner wissenschaftlichen Arbeiten. Bruder ADAM hingegen ist allen Bienenwissenschaftlern bekannt. Hier stimmt die Parallele nicht mehr. Jedoch konnte ich persönlich, während etlicher Auslandsreisen, insbesondere in den USA, feststellen, daß Bruder ADAM dort einen guten Ruf genießt und man ihn oft zitiert. Seine Arbeiten gelten als wegweisend. Demzufolge müßte man Ihre Frage eher auf Europa, mehr noch auf den deutschsprachigen Raum begrenzen.

Bevor man jedoch hier eine Analyse erstellt, muß man betonen, daß Bruder ADAM ein Praktiker ist, der seine Erkenntnisse an den Bienen selber erlangte, dank seiner großen Imkerei und seinen Reisen. Er erhob nie Anspruch auf wissenschaftliche Grundlagenforschung. Hingegen muß die realistisch-objektive, klare Denkweise von Bruder ADAM bei seiner Zuchtarbeit und in seinen Büchern als beispielhaft wissenschaftlich bezeichnet werden. Professor Armbruster erkannte dies sofort. Aber zugegeben, die von Bruder ADAM entwickelten imkerlichen Thesen, die sich in seiner Großimkerei widerspiegeln (also bis jetzt 60jährige bewiesene Tatsachen), widersprechen oft dem, was die Imkerwissenschaftler vor 30 Jahren als wahr und richtig betrachteten.

Diese tiefen Einsichten, die Bruder ADAM sowie auch andere Praktiker im intensiven Kontakt mit den Bienen erlangten, sind dem Forscher schwer zugänglich, der sich gezwungenermaßen mit einem Spezialgebiet beschäftigt, das ihm eine ausgeglichene Globalsicht verwehrt.

Dazu kommen noch Fakten wie der wirtschaftliche Aspekt, in dem sich, wie wir schon gesehen haben, die Richtigkeit einer Betriebsweise bewähren muß.

Die bösartige Aussage, daß es "zwei Imkerkategorien gäbe", nämlich diejenigen, die von den Bienen leben und die, die von den Imkern leben, hat trotz ihrer Realität hier kein Argumentsrecht.

Gewiß ist die Imkerei von Bruder ADAM alles andere als eine Zuschußimkerei und ihre wirtschaftliche Gesundheit ist mehr als bewiesen.

Gewisse Wissenschaftler drehen aber den Spieß um und sagen, daß Bruder ADAM ein genialer Imker sei (was auch richtig ist), der in einer äußerst gesegneten Gegend imkere (was total falsch ist) und daß seine Zucht und Betriebsweise nicht nachahmungsfähig wären (was ich hier in diesem Buch widerlege).

Richtig ist, daß der Einfluß der Wissenschaftler im deutschsprachigen Raum sehr groß ist und die Imker es aus zu großem Respekt und Vertrauen nicht verstanden haben, diesen Einfluß mit den Anforderungen der Praxis auszugleichen.

In den 65er Jahren hörte ich mit großem Erstaunen einen Vortrag eines bekannten Professors, der seine Grunderkenntnisse auf dem Gebiet der Bienenkrankheiten bei einem nicht konventionellen Imker (er hatte große Waben!) erworben hatte. Ideal wäre es gewesen, wenn die Imker diese "Rückkehr" (die sich schon gleich nach dem zweiten Weltkrieg bemerkbar gemacht hatte) wieder angenommen hätten. Ich frage mich nur, ob die Imker die Wissenschaft haben, die sie verdienen, oder ob die Wissenschaft die Imker hat, die sie verdient!

Unbestreitbar ist, daß der Vortrag von Bruder ADAM in Hannover im Jahre 1953, eine Art Blitz aus heiterem Himmel war, zumindest im deutschsprachigen Raum. Obiger Professor wurde sicher direkt oder indirekt, bewußt oder unbewußt, von diesem "Blitzeffekt" angesteckt.

Zum Schluß dieser langen Antwort auf Ihre Frage würde ich noch beifügen, daß es nie dankbar ist, der "Zünder" oder Prophet im eigenen Lande zu sein. Als Ausländer werde ich mich deshalb nicht beklagen.

Frage: Ihr scheinbar salomonisches Urteil über dieses Thema ist für mich nicht 100% zufriedenstellend. Es würde aber zu weit führen, ins Detail zu gehen. Kommen wir zurück zum Pyrethrum als Varroabekämpfungsmittel.

Antwort: Im Rahmen eines Großversuches (angestrebt von der ITAPI) wurde ein spezifisches, synthetisches Pyrethrum, "FLUVALINAT" genannt, in der Dosis von 0,6 Milligramm und 1,2 Milligramm Wirkstoff pro Volk verwendet. Praktisch gesehen verdünnt man ein Milliliter (1 ml = 1 cm^3) in 10 oder 20 Liter Wasser, von welchem man dann 50 Milliliter (50 cm^3) zwischen die Wabengassen gießt. Gegenproben mit Amitraz und Perizin beweisen, daß zumindest die Wirksamkeit dieses Mittels so gut wie die der anderen Akarizide ist. Beiläufig stellte sich heraus, daß einstweilen hier im Elsaß von keiner Resistenz der Varroa gegenüber Amitraz zu sprechen ist. Gründliche wissenschaftliche Versuche müssen jedoch eventuelle Gefahren und Nachteile für Imker und Bienen festlegen. Man erhofft sich eine noch größere Verringerung der Giftdosis pro Volk, wenn ein Micro-Diffuseur verwendet werden kann (die einstweilen angeratene Dosis beträgt 1 ml für 1 Liter Lösung, die in den Diffuseur gegeben wird).

Bei Amitraz sowie bei Fluvalinat hat man den Eindruck, daß die Bienen offensichtlich nicht unter diesen Mitteln leiden. Allgemein ist jedoch der Verdacht groß, daß diese spezifischen Akarizide bald eine unerwünschte aber wirksame Resistenz bei der Varroa auslösen könnten. Hoffen wir, daß bis dahin die pflanzlichen Öle, sowie die Versuche mit Alkohol erfolgreich sein werden.

Frage: Was Sie hier angeben ist der Stand der Varroabekämpfung im Winter 86/87 gewesen. Was ist für den jetzigen Winter 87/88 eigentlich Pflegestrategie geworden?

Antwort: Ich bin Ihnen dankbar, daß Sie nicht, wie erwartet, "Pflegemode" gesagt haben!

Angesichts der ernsten Lage, die hinsichtlich der Varroa in gewissen südlichen Gebieten von Frankreich herrscht, muß man eben eine "Realstrategie" ausarbeiten, die von den Realitäten, also den zur Verfügung stehenden Mitteln, ausgeht. Wir werden noch vieles, wie schon angedeutet, in der nahen Zukunft an der Völkerpflege ändern.

Die Tendenz ist zur Zeit folgende: Sofort nach dem Abnehmen der Honigaufsätze, erfolgt eine Pflege der Völker mit dem Diffuseur, und zwar mit KLARTAN (Wirkstoff FLUVALINATE von SANDOZ/ Schweiz, ein synthetisches Pyretroid): 1 ml wird auf 1 Liter Wasser verdünnt und im Diffuseur vernebelt, bei starkem Befall wird 5 Tage danach noch einmal die oben genannte Pflege wiederholt.

Im November oder Dezember, bei garantierter Brutlosigkeit der Völker, wird im Abstand von 5 Tagen eine zweimalige Pflege mit AMITRAZ im Diffuseur durchgeführt, und zwar jetzt mit doppelter Dosis (d.h. 30 ml Taktic oder Anti-Varroa oder 4,8 ml Wirkstoff Amitraz auf 1 Liter Wasser). Drei Wochen danach wird dieselbe Pflege (zweimal) mit PERIZIN, wohlgemerkt im Diffuseur verabreicht, und zwar in der doppelten Konzentration wie die vorgeschriebene beim Aufträufeln der Lösung auf die Bienentraube (d.h. 40 ml Perizin oder 1,28 ml Wirkstoff Coumafos auf 1 Liter Wasser).

In den warmen Gegenden Frankreichs, wo das Brutgeschäft der Völker kaum eingestellt wird, ist eine zusätzlich Behandlung im Frühjahr mit Amitraz im Diffuseur und drei Wochen danach mit Perizin (immer im Diffuseur) angeraten. Wichtig ist, daß die vorgeschriebenen Termine der Behandlung vor der Tracht eingehalten werden. Dies ist bei der Behandlung mit dem Diffuseur kein Problem.

Wie Sie feststellen, ist man darauf bedacht, eine Resistenzbildung zu unterbinden, indem man alle diese anerkannten Mittel verwendet.

Frage: Soviel ich weiß, ist das Klartan (Wirkstoff Fluvalinate) noch nicht offiziell anerkannt in Frankreich?

Antwort: Die offizielle Anerkennung ist angeblich für Januar 1988 vorgesehen.

Frage: Wie Sie sehen, verschärft man also langsam aber sicher die Behandlung mit synthetischen Mitteln, das Gegenteil wäre aber wünschenswert!

Antwort: Angesichts dieser Entwicklung, versucht man in aufgeklärten Kreisen, die oft gefährliche Grenze von 10 000 Varroa pro Volk mit den obigen Maßnahmen herunterzudrücken. Zusätzlich empfiehlt man noch, den Völkern ganzjährig die Windeln mit Gitter zu belassen, und auf diese dann regelmäßig 15 Tropfen von den oben erwähnten 11 Pflanzenölmischungen zu träufeln. Die Verminderung des Varroabefalls soll damit um 43% liegen.

Diese Pflege ist äußerst wichtig, wenn man bedenkt, daß die Völker, welche durch die Lavendeltracht (sicher aber auch die Tannentracht) geschwächt wurden, den zu hohen Varroabefall nicht mehr verkraften und nachträglich einer Art "Faulbrut" zum Opfer fallen. Man spricht von einer Art "Steigerungseffekt" dieser noch unbestimmten "Faulbrut" durch zu hohen Varroabefall. Die Wissenschaft steht hier noch vor vielen Aufgaben. Der Druck der Varroa, mit den vielen ungepflegten, vergessenen Völkern und Wildschwärmen, ist viel größer, als man gedacht hatte. Scheinbar soll sich nach dieser großen "Welle" die Lage normalisieren. Bis dahin zählen viele Imker ihre geschwächten oder toten Völker und suchen verzweifelt, aus dem sich anbahnenden Hexenkessel herauszukommen, mit einem Mindestmaß an Chemie. Dies ist äußerst begrüßenswert und zeigt, daß die Imker ihr Ansehen nicht verlieren wollen.

Frage: Welche Rolle spielt hierbei das Varroagitter?

Antwort: Eine immer wichtigere. Daß der Imker Informationen braucht, wie genau es um den Befallsgrad seiner Völker steht, braucht kaum betont zu werden. Jedoch scheint es so, daß die Imker jedes Jahr mit grösserer Überraschung feststellen, daß trotz aller Fürsorge mehr Varroa im Volk sind wie vorgesehen. Demzufolge sollte das Gitter mit Windeln immer im Volk sein. Mit Hilfe von "Faustregeln" kann man dann in genau festgelegten Zeitabständen prüfen und vorsehen, wie es z.B. nach der nächsten Ernte oder bis zur nächsten Behandlung mit der Varroa aussehen wird.

Frage: Was muß man praktisch gesehen, ganz genau tun ?

Antwort: Wie schon gesagt, eine gefettete Unterlage, geschützt von einem auf ein Rähmchen aufgenageltes Varroagitter, bleibt das ganze Jahr hindurch im Volk, das selbstverständlich im Spätherbst, also in der brutfreien Zeit, behandelt worden ist. Zeigt sich nun auf der so vor den Bienen geschützten Unterlage eine abnorm große Zahl von natürlich verstorbenen Varroen, so weiß der Imker, daß er so bald wie möglich eingreifen muß (bei der nächsten Trachtlücke z.B.), um den Befall auf ein verträgliches Maß zurückzudrängen. Es ist jetzt klar bewiesen, daß die Vermehrungsrate der Varroa während der ersten Befallsjahre weit über das Befürchtete geht, insbesondere bei geringen Varroazahlen pro Volk! Sicher spielen da physiologische, spezifische Reflexe der Varroa und die nicht behandelten Völker und Wildschwärme eine unvorhergesehene Rolle. Nicht zu vergessen ist, daß das permanente Varroagitter im Volk eine nicht zu unterschätzende Varroafalle ist, insbesondere beim Wandern ist dies einer der vielen, noch zu entdeckenden Vorteile.

Frage: Was halten Sie von Brutunterbrechungen im Sommer ?

Antwort: Es gibt sicher Gegenden, in denen diese Unterbrechung einen gewissen Erfolg zeigen kann, weil z.B. keine Tracht mehr zu erwarten ist. Bei uns und insbesondere mit der von mir vertretenen Betriebsweise ist solches nahezu ein Gegensatz, der vielleicht durch eine spezielle Betriebsweise, die aber erst erfunden werden müßte, ausgeglichen werden könnte. Herr Schell aus Rumänien, der seit 1975 mit der Varroa imkern mußte und eine ähnlich intensive Betriebsweise wie ich durchführt, ist bis jetzt gut ohne diesen Brutstop ausgekommen. Daß dieses System aber gefährlich sein kann, darf gerade wegen seiner scheinbaren Harmlosigkeit nicht verschwiegen werden. Wer genau gelesen hat, was das Liebefelder Institut über die Entstehung der Winterbienen sagt, versteht, daß vor August eine Unterbrechung des Brutgeschäftes eine biologische Lücke auslösen kann, die im Winter nichts weniger als den Verlust des Volkes bedeuten kann, oder vielleicht eine Nosemakrise, wie sie geschwächte Völker öfters zur Folge haben.

Ich kenne auch Imker, die ein 14tägiges Einkäfigen der Königin versucht haben. Beim Freigeben der Königin jedoch gab es beinahe 100 % Königinnenverluste. Es ist nie eine einfache Sache, mit solchen Mitteln in das Volksgeschehen einzugreifen Es erfordert streng geführte Methoden, die lange auch auf Großvölkern in der Praxis ausprobiert wurden.

Wenn ich das Wachstum meiner Bienenvölker durch das ganze Jahr mit der so ausgeglichenen und großen Brutfläche der Buckfastbiene beobachte, so scheint mir, daß es außer der Schwarmzeit, die sowieso zu früh für solche Unterbrechungsmethoden ist, keine günstige Zeit gibt, in der ich diese Methode letztlich ohne erheblichen Ernteverluste unterbringen könnte.

Frage: Die Varroa ist leider in der Imkerei ein unerschöpfliches Thema geworden, das oft zum Baum wird, der den Wald versteckt! Lassen wir nun dieses Thema. Die Fachpresse hat es verstanden uns zu ihren und des Imkers Gunsten meisterhaft zu unterrichten. Kommen wir auf Ihre Beute zurück! Verwenden Sie ein Flugbrett?

Das Flugbrett

Antwort: Und was für eines! Es reicht von der Bodenkante bis zur Erde. Ich würde das Flugbrett wegen seiner großen Dienste nicht mehr missen wollen. Ausgenommen im Winter ist es immer an Ort und Stelle. Meine Beuten ohne Flugbrett erscheinen mir wie ein Baum ohne Blätter.

Frage: Sie legen großen Wert auf dieses Beutenzubehör. Dies scheint mir leicht übertrieben!

Antwort: Ihre Frage kommt für mich nicht unerwartet. Sie gibt mir aber Gelegenheit, ein Grundprinzip klarzulegen, welches meine Betriebsweise sowie meine Imkerpraxis bestimmt: Nichts soll gegen die Biologie der Biene sein aber alles soll ihr entgegenkommen.

Frage: Ich sehe nicht, welches Verhältnis zwischen dem Flugbrett oder der Konzeption der Beute und dem eben Gesagten besteht, zumal die Bienen sich mit beinahe allem als Wohnung begnügen, was sie finden.

Die Biologie des Wildschwarmes

Antwort: Eigentlich hätte ich schon früher über diese Grundidee von Bruder ADAM sprechen sollen. Sie ist so mit seiner Biene verbunden, daß es unmöglich ist, sie von ihr zu trennen. Jedoch zurück zu Ihrer Frage. Ohne Zweifel kann ein Bienenschwarm sich irgendwo einlogieren.Es gehen aber zu viele Schwärme in ihren selbst ausgesuchten Behausungen zu Grunde. man kann daher nicht behaupten, die Wahl der Schwärme sei immer gut, selbst wenn man die von Darwin gepriesene natürliche Auslese berücksichtigt. Wir haben ja schon unterstrichen, wie unnatürlich die Umwelt der Bienen geworden ist. Bevor der "homo sapiens" seine Herrschaft auf die Schöpfung so stark wie jetzt ausgedehnt hatte, gab es genügend hohle Bäume, die den Schwärmen Schutz boten. Keiner brauchte sich aus Wohnungsnot mit einem jedem Unwetter ausgesetzten Ast oder Hecke begnügen. Gewiß herrschte auch damals eine unerbittliche Auslese, aber die Schwärme hatten den Tisch bis in den Winter mit Blumen gedeckt, die zahlreich waren und Nektar spendeten. Selbst in den Vogesen war das so. Die Tannen haben sich scheinbar erst spät nach der letzten Eiszeit, vor etwa 2000 Jahren angesiedelt, also vor relativ kurzer Zeit.

Frage: Ich verstehe nicht, worauf Sie hinauswollen?

Die Biologie des Bienenvolkes

Antwort: Dies alles scheint mir unumgänglich, um Ihnen so genau wie möglich klarzulegen, in welcher Umwelt heute unsere Biene lebt. Trotz gewisser genetischer Eingriffe, bleibt sie jedoch ein wenig gezähmtes Insekt. Wenn nun der moderne Imker der Biene einen einigermaßen anständigen Unterschlupf anbietet, so bindet er die Biene an ihre Wohnung, die er hergestellt hat. Unweigerlich ist diese Wohnung ein Arbeitsinstrument, das umgeändert wird, damit es den technischen Ansprüchen und Findigkeiten des Imkers entspricht. Dank ihrer großen Anpassungsfähigkeit, "folgt" die Biene dieser Absicht, indem sie ihr Bestes tut, mit den technischen, kunstreichen Umänderungen des Imkers fertigzuwerden. Es gibt aber Momente, da befindet sich das Volk im selben Zustand wie der Schwarm am Ast, d.h. in einer unhaltbaren Lage, deren Ausgang wohl nicht sofort aber unweigerlich den Tod bedeuten kann.

Irgendwo in dieser langen Reihe von Anpassungen des Bienenvolkes an die Ansprüche des Imkers, gab und gibt es ein Übertreten des Annehmbaren, des noch Möglichen.

Frage: Wo setzen Sie diese Schwelle an ?

Die optimale Schwelle

Antwort: Ein großer Politiker hat gesagt: "Um ein Ziel zu erreichen, muß man darüber hinausgehen". In der Imkerei, in der die Politik nichts zu suchen hat (aber leider immer etwas findet...), sollte man sagen: "Hütet Euch, ein Ziel zu überschreiten!". Wenn ich jedoch von einer noch annehmbaren Schwelle für das Bienenvolk gesprochen habe, so gibt es schon weit vorher eine optimale Schwelle, d.h. einen Moment, in dem das Bienenvolk auf der Spitze des Wohlbefindens und der Höchstleistung ist, aber dennoch rationell (vernünftig) vom Imker bewirtschaftet werden kann.

Frage: Ist diese Schwelle nicht ein Trugbild, das aus einer irrationalen Vermählung von überkommenen Weltanschauungen und "neuer grüner Naturphilosophie" stammt? Wenn es solch eine Schwelle gibt, ist sie dann nicht unfaßbar, weil außerordentlich variabel (veränderlich) gemäß einer großen Zahl von unbeherrschbaren Faktoren?

Antwort: Was ich hier behaupte, ist nicht einer theoretischen Studie entsprungen, sondern aus der Beobachtung und dem Zusammensein mit den Bienen, nicht nur mit Klein- und Jungvölkern, sondern mit Großvölkern. Diese ergeben Jahresdurchschnittsernten, die mir früher als traumhaft, um nicht zu sagen als ganz verlogen erschienen. Sicher ist es ratsam, aus eigener Erfahrung keine imkerlichen Dogmen für andere zu schmieden. Es geht mir aber darum, das weiterzugeben, was mir als Grundlage erscheint. Es geht auch darum, einen Begriff zu schaffen, der auf Beobachtungen weist, die sich regelmäßig in ertragsreichen und gesunden Bienenvölkern zeigen. Daß dieser Begriff in Verbindung mit einer optimalen Befolgung der Naturgesetze des Bienenvolkes und seiner jeweiligen Rasse steht, sollte niemanden verwundern. Ich stelle nur fest, daß auf anderen landwirtschaftlichen Spezialgebieten aber auch im Sport mit denselben Begriffen (Gedankenstützen) gearbeitet wird (z.B. Backels in der Rinderzucht).

Zugegeben, daß diese Begriffe nicht jeden ansprechen. Ein "Stück" Weltanschauung fließt immer unbewußt und notgedrungen mit. Mein Sorgen und Streben ist es, daß hier die "Philosophie der Realität" ihren Platz hat. Damit meine ich ein Nachdenken über Beobachtungen in der Imkerpraxis. Hierfür ein Beispiel, was man unter optimaler Schwelle oder biologischem Optmimum verstehen kann: So darf eine Königin niemals in ihrer Legetätigkeit durch räumliche Begrenzung beeinträchtigt werden. Der Brutraum muß also der rassespezifischen Fruchtbarkeit der Königin optimal angepasst sein. Ist er zu groß, gibt es Probleme mit der Honigstapelung, ist er zu klein, wird Schwarmstimmung erzeugt und die optimale Schwelle, d.h. in diesem Fall die optimale Volksstärke und Leistungsfähigkeit verhindert. Dies bedeutet bei der Buckfast, daß die 12er Dadant-Beute ihr die besten Lebens- und Brutbedingungen bietet. Sie besitzt große Brutflächen, welche von keinerlei Hindernissen begrenzt oder durchschnitten sind. Die Dadant-Beute paßt der Buckfastbiene wie ein Handschuh. Sie ist für diese Biene ein biologisches Optimum.

Frage: Wie schon gesagt gibt es sicher andere wichtige Faktoren, welche an diesem wichtigen, biologischen Gleichgewicht teilhaben. Bitte nennen Sie uns die wichtigsten!

Beutenaufstellung

Antwort: Diese biologische Schwelle oder dieses Optimum des Biens ist richtig verstanden nicht ein in einem Rezept beinhaltet. Oft merke ich, daß erfolgreiche Imker, die wenig oder kaum Winterverluste haben und schöne Ernten erwirtschaften, diese Regel nahezu unbewußt beherrschen und anwenden. Sicher gibt es grobe Fehler, die man leicht vermeiden kann. Dazu zähle ich das Bienenhaus. Ich möchte meine elsäßischen Imkerfreunde nicht kränken, ebensowenig die aus dem deutschen Sprachraum. Aber das Bienenhaus ist hier nicht ohne Fehler. Für die Zucht hingegen bedeutet das Bienenhaus eine glückliche Ausnahme. Meine Ertragsvölker befinden sich alle in Freiaufstellung aber nicht in gerader Linie, sondern im Viereck, damit jedes Volk seine eigene Flugfront hat. Zwischen den Beuten lasse ich 80 cm bis 1 Meter Abstand (je nach Platz). So ergibt sich ein leichtes Arbeiten und immer verfügt man so in Armlänge über 3 naheliegende "Tische" (die drei anderen

Beuten). Man sollte es nicht sagen, aber mit der Viereraufstellung kann man mehr Bienen auf einen Platz zusammendrängen wie mit der Aufstellung in Reihen, ohne daß sich dadurch die Bienen verfliegen würden.

Frage: Was wird aus der schönen, ordentlichen Linienaufstellung, wie sie von jeher üblich ist?

Antwort: Die Realität zeigt uns, daß sich die Bienen bei Linienaufstellung einfach verirren, besonders, wenn sie im Bienenhaus zusammengedrängt sind. Sicher dient das Bienenhaus dem Komfort des Imkers. Ich ziehe es aber lieber vor, den wirklichen Bedürfnissen der Bienen entgegenzukommen. Als Lohn erhalte ich Gewißheit über den reellen Wert von Königin und Volk. Fremde Bienen verirren sich nicht ins Volk und das Übertragen von Krankheiten ist auf ein Mindestmaß reduziert. Ein Imker, der Zuchtauslese bei Völkern betreibt, die in einer Linie stehen, macht einen großen Fehler, der in seiner Arbeit immer wieder optimale Ergebnisse verhindert.

Frage: Kommen wir doch wieder auf das Flugbrett zurück!

Antwort: In der Tat, die Gelegenheit scheint mir günstig, denn die im Viereck stehenden Beuten besitzen alle ein Flugbrett, das bis auf den Boden reicht. So können die Bienen, alle Bienen, bis zur Beute gelangen, ohne daß sie, wie es oft vorkommt, einen akrobatischen Flug zu einem winzigen Flugloch durchs Gras machen müssen, das oft noch naß sein kann.

Frage: Mir scheint es, daß Sie so die natürliche Auslese nicht unterstützen. Geht es doch in diesem Fall um wichtige Faktoren wie Flugkraft und Orientierungssinn!

Naturauslese?

Antwort: Man darf Grausamkeit und Naturauslese nicht gleichstellen; obwohl im Grunde jede Auslese zumindest hart ist. Ich sehe die Sache so: Die Biene in ihrer natürlichen Umgebung hatte einen hohlen Baum zur Verfügung, besonders in unserer Gegend, der immer ein großes Flugloch besaß, meistens von einem Grün- oder Schwarzspecht ausgehöhlt in einem zumindest älteren, wenn nicht faulen Baum. Zudem wählen die Schwärme, wenn sie die Wahl haben, einen windgeschützten Platz (Mitten im Wald z.B.). Wir aber stellen die Völker an Lichtungen oder Waldrändern auf, wo der Wind die Flugbienen, die schwer mit Pollen und Honig beladen heimkehren, vertreiben kann.

Ein Flugbrett, das bis auf den Boden geht, 45 cm breit ist, mit einer nicht zu steilen Schrägstellung (45x z.B.) erlaubt den wertvollen Flugbienen, sich mit aller Sicherheit auf das Brett hinfallen zu lassen und die letzten Zentimeter ohne viel Risiko bis hin zum Flugloch zu Fuß zu überwinden. Im Frühjahr habe ich zuviele, mit Pollen beladene, tapfere Bienen gesehen, die durch Kälte umgekommen sind, nur weil sie bei einem brutalen, kalten Wind wegen Übermüdung die Landung am Flugloch (ohne Flugbrett natürlich) verfehlten.

Frage: Und was wird aus den kranken Bienen?

Antwort: Öfters habe ich beobachtet, daß die Buckfastbiene zweifelhafte Bienen weit von der Beute wegträgt. Auf alle Fälle hat die kranke Biene die Tendenz, die Beute von sich aus zu verlassen. Jedoch ist dies alles nichts im Vergleich zu den Vorteilen, die das Flugbrett beim Schwärmen bietet: Die am Flügel gestutzte Königin fällt zwangsläufig nahe der Beute auf den Boden und kann aber dann als Fußgängerin in ihren Stock zurückkehren. Dies konnte ich selber beobachten. Das Flugbrett hat hier eine wichtige Rolle zu spielen, wenn es um das "Optimum" geht: Groß genug gebaut, kann es die Rettung für eine wertvolle Königin sein. Kleiner Aufwand, aber großer Effekt!

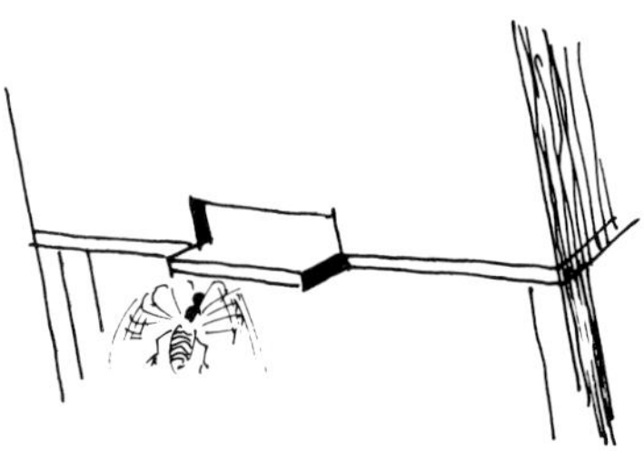

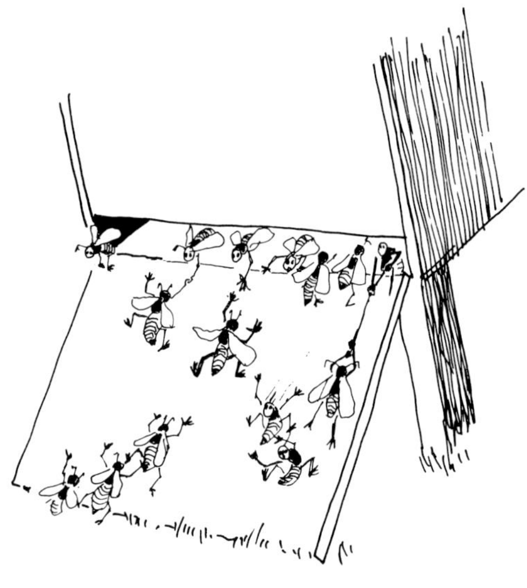

Verschließen der Beute

Frage: Alle im Handel befindlichen Beuten sehen für das Wandern ein Verschlußsystem des Flugloches vor. Was machen Sie?

Antwort: Es sei bemerkt, daß das Wandern in Frankreich mit offenem Flugloch immer mehr Anhänger, besonders bei den Großimkern findet, trotz zahlreicher Nachteile. Ich schließe (wie Bruder ADAM) meine Beuten mit einem speziellen aber einfachen Keil, der beim Zusammenschrauben der einzelnen Teile der Beute automatisch festgemacht wird. Man kann die Beute auch durch ein Drehen der Fluglochlatte um 90 ° verschließen. Dies geht jedoch weder so schnell, noch so praktisch wie mit dem Keil.

Wandergurte

Frage: Sie haben von einem Befestigen der einzelnen Teile der Beute gesprochen. Wie machen Sie das?

Antwort: Das Wandern ins Gebirge auf schlechten Wegen verlangt manchmal ein Vergurten der Beuten. Diese Methode bietet totale Sicherheit, jedoch auf Kosten von mehr Arbeit.

Ich verwende Gurte aus synthetischen Textilien, die ein so strammes Spannen erlauben, daß ein Verschieben der Einzelteile der Beute total unmöglich wird.

Frage: Ich stelle also fest, daß Sie mit Gurten recht zufrieden sind. Aber Bruder ADAM verwendet doch Schraubstäbe.

Antwort: Genau! Bruder ADAM blockiert alles mit Schraubstäben. Der Grund dafür liegt darin, daß die mittlerweile qualitativ hochwertigen Gurte gegen äußere Einflüsse unempfindlich sind (weder gegenüber Wärme noch gegenüber Feuchtigkeit), vor dem Kriege noch nicht existierten.

Andererseits ist das Ausgleichen der Trachtvölker im Frühjahr, verbunden mit einer beispielhaften Königinnenauslese, von Bruder ADAM so perfekt gemacht, daß alle Völker dieselbe Stärke beim Wandern in die Heide haben. Eine Schraubstablänge genügt also, um alle Beuten zu schließen, weil eben alle gleich hoch sind. Dieses Ideal ist selten zu erreichen, besonders bei einem Imker, der schon im Frühjahr z.B. in die Obstblüte wandert.

Viele Imker ahmen Bruder ADAM mit Recht nach, aber wenige arbeiten so peinlich und so perfekt wie er. Viele Imker wären gerne große Meister, aber wenige sind bereit, den Preis zu bezahlen, d.h. sich die nötigen Mühen und Sorgen aufzuerlegen. Das schnelle Anbringen der Schraubstäbe beinhaltet, daß zudem die ganzen Beutenteile streng standardisiert sind, was ja bekanntlich bei vielen Imkern auch nicht der Fall ist. Bei der Bienenzucht Bruder ADAMS ist, wie es ein Besucher meinte "alles aus einem Guß". Das heißt, daß alles bis ins kleinste Detail für einen ganz bestimmten Zweck durchdacht und standardisiert ist.

Der Hohe Unterboden

Frage : Sie haben den hohen Unterboden erwähnt. Was meinen Sie damit genau?

Antwort: Der Hohe Unterboden ist meistens ein freier Raum, speziell so geschaffen, damit dem Volk ein sogenannter Spielraum zur Verfügung steht. Ich würde jedoch lieber das, was ich gebrauche, einen "Untersatz mit Trockenfütterungseinrichtung" nennen. Alle äußeren Maße sind nämlich mit einem Aufsatz identisch (Siehe Zeichnungen am Ende des Buches), aber er erfüllt andere Zwecke: Er dient im Frühjahr als Überlaufraum, wenn der Raps honigt. Auch in der Edelkastanientracht ist die Pollentracht manchmal so stark, daß dadurch das Brutnest beinahe ganz eingenommen wird und die Königin zu starken Bruteinschränkungen gezwungen wird, und dies selbst im 12er Dadantkasten. Die Gefahr liegt nahe, daß die darauffolgenden Trachten nicht voll ausgeschöpft werden können, weil eben dann die nötige Volksstärke wegen Brutausfall nicht mehr vorhanden ist. Dieser Unteraufsatz ist also in diesem Falle da, um den Pollenüberschuß aufzufangen. Er dient als Ausdehnungspuffer.

Frage : Warum speichern die Bienen den Pollen nicht nach oben, wie sie es mit dem Honig tun?

Antwort: Bei Räuberei ist nur der Honig in Gefahr. Bis jetzt stellte ich nie einen Pollenraub fest. Die Bienen (man sollte sagen die Aulese der Natur) nehmen diese Realität zur Kenntnis und lagern auch den Pollen in den tiefsten Teilen der Beute, in unserem Falle in den Untersatz, vorausgesetzt, man hat ihnen diesen zur Verfügung gestellt.

Frage : Erfüllt dieser Untersatz noch andere Zwecke?

Antwort : Sicher! Bei der Nachschau der Völker schätze ich ihn sehr. Die großen Bienenmassen (meistens die Jungbienen), die logischerweise eine Dadantbeute beherbergt, ziehen einfach nach unten, dort haben sie noch Platz und brauchen nicht an den Innenwänden hochzukommen, wo sie mit zusätzlichen Rauchgaben hin und her gejagt werden, bis sie den Weg nach außen gefunden haben, um sich dann an die vordere Außenwand wie ein Schwarm anzusetzen. Besteht zusätzlich noch ein großes Flugbrett, so wird dieses (glücklicherweise) auch von den Bienen, die ausziehen, besetzt.

Der Hauptzweck ist aber die Notfütterung, die jedoch ohne jeglichen Einfluß auf den im Aufsatz gelagerten Honig sein soll. Diese Notfütterung muß zu jeder Zeit leicht zugänglich und schnell geschehen können (wie die Notbremse im Zug).

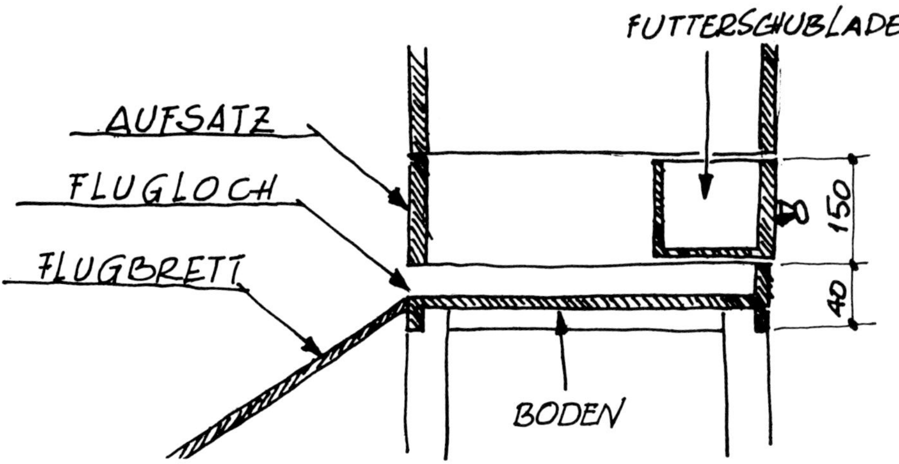

Das System der Notfütterung

Frage : Erklären Sie bitte dieses Notfütterungsverfahren genau, das Sie, so denke ich, ebenfalls von Bruder ADAM übernommen haben.

Antwort : Nein! Bruder ADAM verwendet keinen Untersatz. Bei ihm sind die Tracht- und Wetterverhältnisse doch anders. Es sind die Gebrüder Fehrenbach aus Ravensburg, die dieses von Fritz Baumgarten erfundene Zubehör in ihre Imkerei sehr klug integriert haben, besonders für trachtlose Frühjahre. Für die Imkerei Fehrenbach beginnt die erste nennenswerte Tracht mit der Kirschblüte im Kaiserstuhl (etwa 20 km von mir entfernt). Ihr folgen andere übliche Trachten (Raps, Löwenzahn im Gebirge, Fichte usw.), die dazu beisteuern, eine große Volksstärke zu erhalten. Sollte aber eine dieser Trachten fehlen, so werden die vielen Flugbienen zu Konsumenten der Reserven des Volkes. Gewiß genügen dieser beeindruckenden Bienenarmee oft nur einige Flugstunden, um "aufzutanken". Aber die Jahre seit 1981 haben oft kalte und nasse Frühjahrsperioden gehabt, die wider Erwarten kein Einbringen von Nektar zuließen. Selbst im Elsaß haben wir oft so erschreckende wie unvorhergesehene Leerläufe zwischen den Trachten. Aus diesem Grunde besitzt der untere "Aufsatz" nicht nur 8 Waben (im Normalabstand von 38 mm), sondern auch eine Art herausnehmbare Schublade mit 6 Litern Volumen. Die Schublade ist an einer der 4 Wände befestigt. Es genügen 2 Vorreiber zum Öffnen, um von Außen her, ohne Volksstörung an diese Schublade zu gelangen.

Damit alles festen Halt hat, ist ein stabiler Winkeleisenrahmen vorhanden, in welchen die Schublade eingepaßt ist. Er verleiht dem ganzen Unteraufsatz Festigkeit. Die Schublade ist für feinen Kristallzucker (Raffinade) vorgesehen. Die Bienen nehmen von ihm nur soviel auf, wie unbedingt notwendig ist, da er nur schwer aufzulösen ist. Dieses Trokkenfutter wird nie im Aufsatz gelagert. Es wird sofort im Brutnest verwendet, das dadurch in Schwung bleibt. So werden große Brutflächen erhalten.

Frage: Jegliche Art von Fütterung ist mir zuwider, gleich welche, und dies besonders, wenn auch nur das geringste Risiko besteht, daß Futter in den Honigraum gelangen könnte. Können Sie daher mehr darüber sagen?

Notfütterung mit feinem Kristallzucker (Raffinade)

Antwort: Trotz aller Aussagen und Garantien, die diesem Fütterungsverfahren von wissenschaftlicher Seite zugesichert wurden, behielt ich eine "Art" Zweifel, um nicht zu sagen eine Art Mißtrauen. Wiederholt konnte ich klar feststellen, daß die Bienen nichts von diesem Grieszukker in den Aufsatz hinauftragen. Sobald sich die geringste Tracht zeigt, unterbrechen die Bienen die Zuckeraufnahme sofort. Der langsame und stete Reizeffekt dieses Trockenfutters ist jedoch so, daß dem Brutgeschäft tatsächlich in wichtigen Momenten geholfen wird. Beispiel: 1982, nach einer schönen Blütenhonig- und Edelkastanienernte (78 kg Durchschnittsertrag), setzte die Tannentracht nicht ein. Versuchsweise füllte ich dann zweimal unmittelbar hintereinander die Fütterungsschublade. Etliche Völker benötigten 3 Wochen, um eine Schublade zu leeren. Somit wurde der wertvolle Jungbienennachwuchs von August und September nicht sehr gebremst. Die 2 totalleeren Aufsätze, die in Erwartung einer Tannentracht aufgesetzt waren, blieben während dieser Fütterungszeit strohtrocken, nicht ein Gramm wurde nach oben getragen, obwohl ein mehr als ansehnlicher Vorrat im Brutnest war.

Frage: Sie nennen das Notfütterung, ich würde das eher Reizfütterung nennen?

Antwort: Wenn ich diese Trockenfütterung mit Grieszucker (ich betone **trocken**) Not- oder Hilfsfütterung nenne, möchte ich damit insbesondere zu verstehen geben, daß sie nur ausnahmsweise und nicht systematisch durchgeführt wird. In 9 Jahren habe ich sie, wie schon gesagt, nur 1982 angewandt. 1984 zog ich es vor, die Edelkastanienernte bis September auf den Völkern zu lassen, um ihnen die nötigen Reserven (ohne jegliche Arbeit) zu garantieren. 1987 war es desgleichen mit der Tannenhonigernte, die um den 18. Juli zum Versiegen kam. Die Stockwaage hat mir gezeigt, daß mindestens 10 kg der schon eingebrachten Ernte verschwunden waren. Jedoch muß zugegeben werden, daß die aufgebrauchten Reserven insbesondere aus dem relativ stark verhonigten Dadantbrutraum stammten und somit das Einwintern mit dem Butistar, von dem wir später hören werden, erleichtert wurde. Wir werden vom Füttern später noch etwas hören, aber jetzt schon möchte ich betonen, daß in einem normalen Bienenjahr nur im Herbst gefüttert wird und daß ich niemals die übliche Reizfütterung im Frühjahr praktiziere.

Natürliche und wirksamere Mittel stehen uns hier zur Verfügung. Zu bemerken wäre noch, daß sich alles, was ich zu diesem Kapitel gesagt habe, auf die Ertragsvölker in 12er Dadantbeuten mit zwei Aufsätzen und Untersatz und voll mit Bienen besetzt, bezieht.

Belüftung und Wanderung

Frage: Sie haben bis jetzt nirgendwo das Belüftungssystem Ihrer Beuten während der Wanderung erwähnt, es sei denn daß manchmal mit offenen Fluglöchern gewandert wird. Was tun Sie?

Antwort: Das Wandern mit offenem Flugloch setzt voraus, daß man über ein passendes Fahrzeug verfügt, was bei mir nicht der Fall ist.

EINE GUTE BELÜFTUNG MUSS SEIN !!

Die Belüftung der Beute wird durch den Beutendeckel erreicht, der im Grunde nur ein Rahmen ist, der praktisch die totale Innenfläche der Beute offenhält. Auf diesem Rahmen ist ein stabiles Drahtgitter (3,5 mm maximale Maschenweite) mit 9 mm dicken Leisten befestigt. Wie gesagt, die emporsteigende Warmluft kann während der Wanderung somit bestens entweichen und eine Wassergabe zur Beruhigung der Völker ist auch sehr gut und schnell möglich. Über das Gitter des leeren Rahmens kommt eine Platte geschäumtes Polystrol oder noch besser geschäumtes Polyäthylen, das trotz seines Mehrpreises letztendlich rentabler ist. Es ist ratsam, im Sommer, auf keinen Fall im Winter, wegen der zu großen Feuchtigkeit, unter diese Kunststoffplatte ein Stück Plastikfolie anzubringen, um ein zu starkes Propolisieren zu verhindern. Vorteil der Sache ist eine großzügige sofortige Belüftung des Volkes, Nachteil ein starkes Verkitten des Gitters mit Propolis. Will man jedoch gerne dieses gesuchte Bienenprodukt sammeln, wird dies zu einem sich bezahlt machenden Vorteil. Nicht zu vergessen ist, daß beim Wandern auch der Untersatz als Trommelraum benützt wird und mit dem Lüftungsgitter zusammen dem Wohl des Volkes dient. Dies erklärt, warum mir bis jetzt kein noch so starkes Dadant-, geschweige ein Langstrothvolk beim Wandern verbraust ist.

Das Dach der Beute

Frage: Wie sehen Ihre Beutendächer aus?

Antwort: Meine Dächer sind neuerdings nicht mehr aus Holz mit Blechbeschlag, sondern nur noch aus Blech mit einem Rand (oder Stülpe) von 12 cm. Darunter kommt, Sommer wie Winter, eine 3 cm dicke Polystrol-Schaumstoffplatte. Den unvergleichlichen Isolationswert dieser Platte möchte ich nicht mehr missen. Durch den breiten Rand hat der Wind praktisch keine Möglichkeiten, den Deckel abzuheben. In stark stürmischen Gegenden sollte jedoch dieser Deckel befestigt werden.

Die Bienenflucht

Frage: Verwenden Sie die Bienenfluchten?

Antwort: Dieses hier im Elsaß wenig bekannte Gerät ist mir selber Goldwert geworden. Ich staune über die vielen, scheinbar guten Ausreden der französischen Berufsimker, die mir stur und steif beweisen wollen, daß ein Abfegen der Aufsatzrähmchen schneller gehen soll wie das Auflegen der Bienenflucht 2 Tage zuvor.

Nur ganz selten im Laufe des Bienenjahres bin ich gezwungen (durch äußere Umstände), einen besetzten Aufsatz durch Abfegen von den Bienen zu befreien. Das Abfegen ist mir äußerst widerlich! Ich gebe aber zu, daß ich ein verwöhnter Imker bin. Ein nicht zu unterschätzender Vorteil der Bienenflucht besteht darin, daß selbst der Entdecklungshonig ohne jeglichen Rauchgeschmack geerntet werden kann.

Frage: Welche Art von Bienenfluchten verwenden Sie?

Antwort: Es gibt vielerlei Arten von Bienenfluchten, aber alle arbeiten nach demselben Prinzip, d.h. die Bienen können nur in einer Richtung durchmarschieren. Die Porter-Bienenflucht, die über 80 Jahre alt ist, besitzt zwei leichte Federn, die die Biene auseinanderdrängen muß. Es gibt auch Bienenfluchten mit Lamellen, eine Art Bienentüre, die auch nur in einer Richtung aufgeht. Von diesem System ist abzuraten, da die geringste Verkittung dieses System unwirksam macht. Genau wegen der Verkittung habe ich die vom Italiener Lega vertriebene, relativ neue Bienenflucht nach mehreren vergleichenden Versuchen gewählt. Vorteil dieses Systems ist, daß hier keine beweglichen Teile vorhanden sind. Das Prinzip ist im Grunde das des Labyrinthes. Als zweitbeste Bienenflucht erwies sich die von Porter. Die Buckfastimker verwenden einen Zwischendeckel, meist aus 4 mm Sperrholz, in das aus Sicherheitsgründen zwei Bienenfluchten eingebaut sind. Dieses Schied wird zwei Tage vor dem

Abernten zwischen den abzunehmenden Honigraum und dem unteren Teil der Beute eingelegt. Die beiden Volkskörper, die so gänzlich getrennt sind, können sich nur über die Bienenfluchten von oben nach unten zurückvereinigen. So keine Brut vorhanden ist, bleiben nur ganz wenige, bei kühlen Nächten gar keine Bienen mehr zurück.

Als zusätzlicher Vorteil ist die Ungestörtheit des Volkes in Betracht zu ziehen. Jedes Abernten im traditionellen Sinne wird vom Volke als ein gründlicher, tiefgehender Stress empfunden, der sich in der gesteigerten Agressivität bemerkbar macht und nicht zum Erhalt der erwähnten biologischen optimalen Schwelle beiträgt. Die Verwendung der Bienenflucht ist eine Art "Überlistung" des Instinktes. Die Bienen bedürfen der Königinnensubstanz (Pheromonen) und steigen einzeln, von dieser Notwendigkeit gedrängt, durch die Bienenflucht hinab in den Brutraum oder zumindest zu Bienen, die ihnen aus ihrer Bedrängnis helfen können. Der Honig spielt hierbei eine untergeordnete Rolle und wird von den Bienen schnell vergessen. Natürlich kann durch Abnahme sämtlicher Reserven, besonders wenn das Brutnest keine besitzt, auch hier Aufregung entstehen, die mit dem oben Gesagten nichts gemein hat.

Frage: Die Notfütterungsschublade des Untersatzes wird, so scheint mir, nie als Futtergeschirr für das Auffüttern im Spätsommer verwendet. Wie füttern Sie dann Ihre Völker auf?

Der Futtertrog

Antwort: Ich verwende den von Bruder ADAM erfundenen Futtertrog mit zentralem Bienenaufstieg. Diese Art von Fütterung wird inzwischen in vielen Ländern verwendet. Vorausssetzung ist, daß die Beute gut waagerecht steht, um die beste Wirkung dieses perfekten Gerätes zu erzielen.

Frage: Welche Vorteile sehen Sie?

Antwort: Das Gerät bietet ein großes Fassungsvermögen (8 - 12, ja 16 Liter, je nach Höhe des Randes) und einen totalen Schutz gegen Räuberei. Denn zusätzlich zum aufgelegten Beutendeckel leistet das Dach noch Schutz. Da dieser Futtertrog das ganze Brutnest von oben abdeckt, nimmt das Futter die Stockwärme an. Der Zugang zum Futter ist für die Bienen sehr kurz und sehr nahe am Brutnest. Wenn das Futter aufgetragen ist, können die Bienen den Trog selbst reinigen. Das nimmt dem Imker eine unangenehme Arbeit ab.

Frage: Mich überzeugt der Zugang der Bienen zu Reinigen des Futtertroges nur halb, denn bei der nächsten Fütterung muß man die Bienen zuvor vertreiben. Das kostet viel Zeit.

Antwort: Um diesen Nachteil zu umgehen, genügt es, das Futtergeschirr total zu öffnen, d.h. es reicht, den kleinen Deckel, der über dem Aufstieg sitzt, wegzunehmen. Bis die letzte Beute so geöffnet ist, haben in der ersten Beute die Bienen das Futtergeschirr bereits verlassen. Zudem kann man durch die gewählte Höhe des kleinen Deckelrandes den Bienen den Zugang zum Futtertrog verwehren, oder den dort angebrachten kleinen Zugang zum Futtergeschirr, wenn solcher vorhanden, abschließen. Bei Fütterung von dickflüssigen Produkten, wie Butireve (gleich Apireve) oder Butistar, können jedoch hin und wieder einige Bienen ertrinken. Oft hilft ein Hinzufügen von Gras oder Holzwolle an die Außenseiten der Aufstiegpyramide, um diesen Nachteil zu beheben.

Das Absperrgitter

Frage: Bis jetzt war von einem Absperrgitter noch nicht die Rede. Ihrer Einstellung gemäß, nehme ich an, daß keines verwendet wird?

Antwort: Das Absperrgitter ist ein typischer Fall einer unumstößlichen Notwendigkeit im Betrieb, die ich nur gezwungenerweise annehme, da es mir immer wie ein Hindernis vorkommt, das die Bienen überwinden müssen. Ehrlich gesagt hoffte ich lange, das Absperrgitter nicht in Gebrauch nehmen zu müssen. Leider sind die Buckfastköniginnen, wie alle anderen Königinnen von fruchtbarer Rasse, von den Legemöglichkeiten im Aufsatz irgendwie angezogen.

Aus unumstößlichen Qualitätsgründen darf jedoch die Königin nie im Aufsatz Brut ansetzen. Es geht mir darum, in Farbe und Aroma unbeeinflußten Honig von unbebrüteten Waben in den Handel zu bringen. Dieser wertvolle Qualitätsvorsprung wird heutzutage auf dem Markt hoch geschätzt.

Natürlich ist das ganze Brutnest vom Absperrgitter abgetrennt, damit die Durchgangsfläche für die Bienen größtmöglich bleibt. Ich gönnte mir keine Ruhe, bis ich eines der allerbesten Absperrgitter des Weltmarktes (es stammt übrigens aus Deutschland) in meinen Beuten verwenden konnte und war erst zufrieden, als ich ein beinahe hindernisloses Durchgehen der voll mit Nektar beladenen Bienen in den Aufsatz feststellen konnte. Demzufolge brauche ich mir diesbezüglich keine Sorgen mehr über das Wohlergehen meiner Bienen zu machen. Die vollen Aufsätze bestätigen mir inzwischen, daß hier keinerlei Bremswirkung vorhanden ist.

Es muß jedoch nochmals betont werden, daß das Absperrgitter nie, aber auch wirklich nie, die Königin beim Legen hemmen darf. Die Brutfläche, die der 12er Dadantkasten bietet, ist dafür eine unumstößliche Garantie, insbesondere in Verbindung mit dem Untersatz.

Frage: Sie sprachen hier wieder vom Untersatz. Sollte dies andeuten, daß eine außerordentlich fruchtbare Königin, welche z.B. durch zuviel verdeckelte Brut in Platznot wäre, dort Eier ablegen könnte?

Antwort: Rein theoretisch ist dies möglich. In der Praxis habe ich in den Bedingungen meiner Imkerei solches nie beobachtet. Selbstverständlich wird alles dafür getan, daß die Honigaufsätze immer bereit sind, eine kommende Ernte aufzunehmen. In gewissen Jahren mit einer großen Rapstracht, kann es vorkommen, daß ganz fruchtbare Königinnen (F1) eventuell Drohneneier in den Untersatz legen. Dies ist aber eine Ausnahme.

Die Betriebsweise

Frage: Wir gleiten unmerklich der Betriebsweise entgegen. Mir scheint, daß wir jetzt ausreichend Auskunft über die von Ihnen verwendeten Imkereigeräte haben und ich halte besonders fest, daß bei Ihnen alles auf dem "Altar der Großvölker" geopfert wird! Wie besetzen Sie Ihre Dadantbeuten, die von manchen Imkern als die Särge der modernen Imkerei betitelt werden?

Antwort: Wenn die 12er Dadantbeute ein Sarg ist, so muß ich feststellen, daß es gewissen Toten recht gut geht ...

Jedoch Witz und Polemik beiseite: Das Imkern ist eben etwas Umfassendes. Die kleine oder die mittlere Beute hat ihre Existenzberechtigung wie die große. Wie Sie noch sehen werden, verwende ich im Grunde drei Beuten. Eine große, eine mittlere, eine kleine. Doch später mehr davon. Ich fürchte nichts mehr als unumstößliche Dogmen oder Imkerideologien, welche der Imkerei sehr abträglich sind. Es ist nun mal so, daß sich Bruder ADAM und andere Imker für die 12er Dadantbeute entschieden haben und sie behaupten, daß sie darin den Erfolg haben, den sie sich wünschen. Andere Imker haben anders gewählt und sind mit ihrer Wahl genauso zufrieden. Wichtig scheint nur, daß man in dem System, mit dem man imkert, sein oft mühsam errungenes Wissen weitergibt, ohne dabei glauben zu müssen, man hätte eine endgültige, unwiderrufliche Wahrheit gesagt.

Frage: Doppelter Grund, Sie nochmals zu fragen: Wie füllen Sie die 12er Dadantbeute?

Die Verstärkung der Völker im Spätsommer

Antwort: Kurz gesagt mit Hilfe von jungen, fruchtbaren Buckfastköniginnen und durch eine kräftige Verstärkung im Spätsommer.

Frage: Wie führt Bruder ADAM die Herbstverstärkung durch?

Antwort: Wie schon gesagt, hat Bruder ADAM keine Frühtracht und ein Verstärken ist darum hinfällig. Hingegen haben etliche deutsche Imker, die nach den Richtlinien von Bruder ADAM arbeiten, hauptsächlich nur eine Frühjahrstracht, auf die sie alles setzen müssen. Diesen Imkern blieben folgende Lösungen offen:

Das Risiko der Frühjahrsreizung

A) Sehr früh auf die Frühjahrsreizung eingehen mit dem gewaltigen Risiko der Schwärmerei und der Nosematose, wenn es ein kaltes und nasses Frühjahr gibt.

B) Die Völker im Herbst verstärken, damit im Frühjahr ein großes Bienenheer zur Verfügung steht, das fähig ist, die allerersten Trachten voll auszuschöpfen. Herr F. Fehrenbach sagte mir dazu deutlich: "Schon im Frühjahr die Unkosten des Jahres decken, damit alles Nachkommende dann Reingewinn ist". Als zusätzlicher Vorteil, den wir hier mit der Tannentracht in den Vogesen gar nicht hoch genug schätzen können, ist die tadellose Überwinterung und das gleichzeitige Ersetzen der Altkönigin durch eine Jungkönigin im späten Jahr.

Es braucht nicht besonders betont zu werden, daß die zweite Lösung bei mir Anwendung findet.

Die Praxis der Verstärkung

Frage: Ich verstehe, was Sie meinen. Mir scheint, daß Sie hier an einen Hauptpfeiler des System gelangt sind. Ich möchte Sie deshalb bitten, möglichst praktisch und genau zu erklären, wie Sie Ihre Völker verstärken und woher Sie das dafür nötige Bienenmaterial nehmen?

Antwort: Die Sache ist ziemlich einfach. Im Grunde verfüge ich einerseits über Dadantvölker mit ihren Aufsätzen, und andererseits über Langstrothvölker mit einer diesjährig gezüchteten Königin.

Frage: Habe ich Sie gut verstanden, wenn ich behaupte, daß Sie nicht nur verstärkte Dadantvölker überwintern, sondern auch etliche Langstrothvölker, die nur dazu da sind, um Bienenmaterial zu liefern?

Bildung der Verstärkungsvölker

Antwort: Ganz genau. Damit Sie mich verstehen können, werden ich Ihnen dieses Betriebsprogramm gut erläutern, und zwar am besten mit dem Verlauf des Bienenjahres.

Im Frühjahr, meistens nach der Rapsernte, aber in Ausnahmejahren schon im April, wird eine erste Zuchtserie gestartet, deren Weiselzellen zwei Tage vor dem Schlüpfen an Jungvölker verteilt werden (In den letzten Jahren aber setze ich immer häufiger eine in Eilage gegangene Jungkönigin aus einem Begattungskästchen zu). Diese Jungvölker werden zumindest aus drei Rähmchen zusammengestellt, aus einer gut gefüllten Honigwabe, einer Wabe mit schlüpfender Brut, sowie einer Leerwabe, die etwas Pollen enthalten sollte und deren leere Zellen mit Wasser besprüht worden sind. Die Bienen sowie die Brut werden überwinterten Langstrothvölkern entnommen, die eine gewaltige Frühjahrsentwicklung vollbracht haben, wozu, ich möchte es mit ein wenig Stolz sagen, nur die Buckfast fähig ist, natürlich unter der Bedingung, daß eine excellente, junge, letztjährige Königin vorhanden war. Hinzufügen möchte ich, daß die Bienen **nie aus den Ertragsvölkern** entnommen werden, sondern aus eigens dafür überwinterten Langstrothvölkern. Die Jungvölker werden mit ganz besonderer Obhut betreut und dies auf verschiedenen Ebenen: Zuerst muß die Königin perfekt sein, sonst wird sie durch eine Weiselzelle (oder andere Königin) ersetzt. Dann muß die Brut zahlreich und geschlossen sein. Die Königin in Eilage muß groß erscheinen.

Um mir später die Arbeit zu erleichtern, wird allen Königinnen ein Flügel gestutzt (mindestens die Hälfte). Außerdem werden alle Weisel mit numerierten Opalithplättchen in der Jahresfarbe gezeichnet.

Die Entwicklung muß zügig erfolgen und darum soll das Jungvolk, das inzwischen in eine 12er Langstrothbeute umgesetzt worden ist, immer einen Überschuß an Platz und Nahrung besitzen. Das bedeutet, daß es in Horbourg (Vorort von Colmar), wo ich zu Hause bin, des öfteren heißt, nach der Akazientracht herzhaft in die "Futtertasche" zu greifen.

Aus Prinzip aber auch aus der Notwendigkeit kommen die Jungvölker nicht in die Tannentracht, da diese die Völker zu sehr in Anspruch nehmen würde, selbst wenn sie, wie es oft vorkommt, von Bienen überquellen.

Jungvölker und Varroa

Frage: Ist dies, was Sie hier erläutern, auch im Hinblick auf die Varroaplage gültig?

Antwort: Dies ist eine gute Frage. Schwärme und Jungvölker scheinen oft ein auserlesenes Ziel der Varroa zu sein. Im Elsaß war es z.B. ein sogenannter Wildschwarm, der von einem mir befreundeter Imker eingefangen wurde. Dieser Schwarm wurde im Spätherbst desselben Jahres das erste, mir bekannte Opfer der Varroa im Oberelsaß und dies trotz einer guten, angemessenen Fütterung und beispielhaften Entwicklung. Aber wie gesagt, außer Honig- und Futterreserven, waren keine Bienen mehr vorhanden. Eine Behandlung beim Einsetzen in die Beute wäre die rettende Lösung gewesen.

Ableger von denen ich alles, nur keine Ernte erwarte, sind somit in steter idealer Lage, gegen die Varroatose behandelt zu werden. Ein Sparen ist hier das Dümmste, was man tun könnte. Mir scheint es, seit dem momentan so unvorhersehbar größer werdenden Druck der Varroa, immer wichtiger, daß beim Erstellen der Ableger (z.B. im Mai) und zwei Monate später (Juli-August) eine gründliche Behandlung stattfindet. Natürlich sollte hier die für die Bienen ungiftigste zur Verfügung stehende Behandlung, den absoluten Vorrang haben.

Frage: Was wird aus der biologischen Varroabekämpfung, wie z.B. dem Ausschneiden der Drohnenbrut?

Antwort: Ihre Frage bringt mich etwas in Bedrängnis. Für mich ist nicht alles "Ungiftige" oder als organisch Eingestufte nahe am biologischen Optimum des Bienenvolkes. Man muß von einer tendenziösen biologischen Philosophie und ebenso von halbaufgeklärtem Konsumentendruck Distanz nehmen.

Die Drohnen erfüllen einen Zweck im Bienenvolke, den man sicher zum großen Teil erfaßt hat, oder den zu erfassen man im Begriff ist. Wenn die Drohnen hingegen nicht mehr nützlich sind, befreit sich das Volk selbst unbarmherzig von diesen. Mir scheint es aber demzufolge ein wenig kurzschlüssig, einfach behaupten zu können, daß es belanglos ist, die Drohnenbrut zuerst oft gegen den Volkswillen massenweise zu züchten und dann abzuschlachten und diesem Verfahren noch zusätzlich den biologischen Stempel aufzudrücken. Hier müßte man für solch ein relativ brutales Verfahren bescheidener sein, selbst wenn es "ungiftig" (aber recht verschwenderisch, um nicht mörderisch zu sagen) in seiner Anwendung ist!

Ableger mit jungen Königinnen sind zudem weniger geneigt, Drohnenbau zu errichten, was in diesem Falle diese Methode hinfällig macht. Ein mir befreundeter Arzt glaubt außerdem festgestellt zu haben, daß das Ausschneiden der Drohnenbrut eine Art Auslese bei der Varroa bewirkt, die sich somit immer mehr an die Arbeiterinnenbrut gewöhnt. Es scheint sich tatsächlich in einigen Untersuchungen des oben genannten Arztes zu beweisen.

Wir werden sicher später sowieso noch Gelegenheit haben, über die für mich so wichtigen Drohnen zu sprechen.

Anfänglich glaubte ich bei der Bildung von Jungvölkern gut zu tun, einfach die auslaufenden Brutwaben wegzulassen, um sie durch mehr Jungbienen zu ersetzen. Theoretisch scheint dies zu stimmen, wirtschaftlich gesehen weniger und noch weniger in der erwarteten Entwicklung. Diese im Jungvolk geborenen Bienen erscheinen wie treibende Hefe für die in Begattung und später ins Legen gehende Königin zu wirken. Genauso steht es, wenn eine bereits begattete Königin dem Jungvolk beigegeben wurde. Wie öfters im Leben, so auch in der Imkerei, hat man selten die Wahl zwischen Gut und Schlecht, sondern zwischen zwei mehr oder weniger schlechten oder mehr oder weniger guten Lösungen.

Es erscheint mir zudem sehr wichtig, daß unter vielem anderem auch die Waben sicherheitshalber abgeschwefelt werden, wenn sie in Verdacht stehen, von der Varroa besetzt zu sein.

Drohnenvölker

Frage: Bevor ich andere Fragen an Sie stelle, möchte ich erfahren, was Sie tun, um vitale Drohnen zu erhalten, die im Larvenstadium nicht von der Varroa geschwächt werden?

Antwort: Bestimmte Völker werden wie üblich ausgewählt, um besonders viele Drohnen für die Begattung der erzüchteten Jungköniginnen zu liefern. Daß diese Völker im günstigsten Moment besonders gut gegen die Varroa behandelt sein müssen, ist verständlich. Ein Einlegen von Windeln und Varroagitter ist unumgänglich, um den genauen Befallsgrad zu erfassen und um gegebenenfalls die Behandlung zu wiederholen, damit der Varroabefall so gering wie nur möglich ist! Es wird aber von vielen Seiten gemeldet, daß gewisse Mittel eine Schwächung der Vitalität, ja eine Sterilität bei Drohnen hervorrufen sollen. Das bedeutet eine um so gründlichere Pflege in der brutlosen Zeit, gepaart mit einer strengen Auslese der Pflegemittel. Mir scheint es auf lange Sicht von höchster Wichtigkeit, daß die Vitalität der Drohnen von der Varroa ungeschwächt bleibt, da sonst eine folgenschwere "verkehrte" Zucht von Drohnen entstehen könnte, die nicht mehr den so wichtigen Konkurrenzkampf bei der Begattung bestehen müssen. Dies widerspricht hier aber der These, nach welcher, früher oder später, eine varroaresistente Biene gezüchtet werden sollte. Die grundlegenden Bedingungen einer solchen Zucht übersteigen aber den Rahmen dieses Werkes und müssen gesondert behandelt werden.

Darum bleibt auf alle Fälle wichtig, daß die Drohnenvölker im Honig-Eiweiß-Überfluß (Pollen) und nicht im Zucker-Überfluß schwimmen sollen. Drohnen sind doch irgendwie der Stolz des Imkers. Sie können nur seine Lieblinge sein, da sie Träger der von ihm gewünschten Erbmasse sind. Sie müssen wie Hochleistungssportler in "blendender Verfassung" sein.

Frage: Dieser Umweg über einen neuen Aspekt bei Jung- und Drohnenvölkern in Bezug auf die Varroa ist nicht unnütz gewesen. Nun aber die Frage: Was wird aus den Jungvölkern, die im Herbst den 12er Langstrothkasten voll besetzen?

Vereinigen von Jungvolk und Ertragsvolk

Antwort: Wir sprechen vorerst von den, wie Sie sagen, vollbesetzten 12er Langstrothbeuten.

Ende September, wenn die Ertragsvölker aus den Tannen heimgebracht sind (d.h. auf ihren Stamm- und Überwinterungsplatz in der Ebene unweit meiner Wohnung), wird in zwei Etappen vorgegangen:

Zuerst werden die Langstrothbeuten den Dadant-Ertragsvölkern aufgesetzt, von welchen kurz zuvor die alten Königin herausgefangen wurde.

Dann, nach einigen Tagen, wenn die zwei Völker sich gegenseitig gut angenommen haben, wird die Langstrothbeute unter die Dadantbeute gebracht. Bei derselben Gelegenheit wird der Untersatz weggenommen.

Frage: Warum bringen Sie die Langstrothbeute nicht gleich unter die Dadantbeute?

Antwort: Das Vereinigen von zwei Großvölkern im Spätjahr ist nur theoretisch einfach... Es scheint eine bewährte Regel zu sein (bei mir jedenfalls), daß das stärkere Volk bei der Vereinigung das Flugloch beherrschen sollte, um Spannungen zu verhüten. Zudem ist es rein arbeitsmäßig einfacher, den Langstroth oben drauf zu stellen, weil er die leichtere Einheit ist. Dieses Argument spielt jedoch eine sehr untergeordnete Rolle. Auch ist nicht zu vergessen, daß während des Winters das Volk dem Futter nach oben folgt. Es wandert somit in die Dadantbeute und gibt so die nachträglich untergestellte Langstrothbeute automatisch frei.

Den Gedanken, so zu verfahren, habe ich dem Vortag von Herrn Schell aus Rumänien entnommen. Sein Referat wurde in Kassel anlässlich des Imkertages 1981 vorgelesen.

Damals war ich mit der Vereinigung nicht zufrieden, obwohl ich scheinbar alle Regeln streng beachtet hatte, d.h. Zwischenlegen von Zeitungspapier sowie Versprühen von Aromastoffen oder Honigwasser, oder beides zusammen (vom Schnaps nicht zu sprechen, der in den besten Bienenbüchern als Wundermittel angeraten wird!). Die zuerst oben aufgesetzte Langstrothbeute hatte eine merkliche Besserung gebracht und die Zahl der abgestochenen Bienen und Königinnen ging zurück.

Jedoch war es in allen vereinigten Beuten noch nicht so friedlich, wie ich es mir vorstellte und wie es von anderen Buckfastimkern beschrieben wurde.

Beim Auswintern im Frühjahr 1982 waren, trotz peinlicher Sorgfalt, 25 % der Königinnen nicht mehr vorhanden. Das war zuviel, zumal es sich um Königinnen allerbester, bewährter Abstammung handelte, die für mich ein reelles Kapital bedeuteten. Das Schlimme an der Sache war, daß ich nicht wusste, wo mein Fehler lag. Inzwischen hat sich die Sache aufgeklärt, und zwar stellten gewisse Imker, die scheinbar keine Schwierigkeiten hatten, auch fest, daß das Vereinigen nicht so problemlos war, wie sie es sich vorstellten. Bei anderen Imkern waren einfach die zusammengeführten Bienenmassen manchmal nur halb so groß, wie bei mir. Schmerzhaft dachte ich an eine Aussage von Bruder ADAM: "Die Bestätigung des Wertes eines imkerlichen Eingriffes ist erst gegeben, wenn er im Großvolk gelingt" (im "allergrößten Volk" möchte ich am liebsten für manche Imker sagen). Daß bei dieser Gelegenheit die Reservevölker ihre wichtige ausgleichende Rolle gespielt haben, deutet ausschließlich auf ihren Wert und mindert aber keinesfalls den erlittenen Verlust.

Frage: Sind Sie immer noch in dieser misslichen Lage mit Königinnenverlusten beim Vereinigen?

Antwort: Wenn es so wäre, hätten ich sicher meine Erfahrungen noch nicht preisgegeben. D.h. wiederum nicht, daß alles bei mir perfekt ist. Die Hauptpfeiler der verwendeten Methoden müssen aber zumindest untermauert sein, bevor man sie weitergibt. Dies ist übrigens der Schlüssel des internationalen Ansehens von Bruder ADAM. Mit einem Schuß Ironie den anderen Autoren gegenüber könnte man sagen, daß dies erklärt, warum Bruder ADAMS Bücher eine so beschränkte Seitenzahl haben.

Die Lösung wurde mir, wie so oft, nicht durch einen gut durchdachten Plan gegeben (wie es eigentlich hätte sein können!), sondern durch einen glücklichen Zufall, der aber aus einem Notzustand entsprungen ist (einer mehr!).

Frage: Nennen Sie uns in allen Einzelheiten den Ablauf der Eingriffe.

Antwort: 1983 im Spätherbst war eine Reise geplant, die ich auf keinen Fall verschieben konnte. Der Wald honigte dieses Jahr sehr gut und spät, was mich bewog, so spät wie möglich aus der Tanne abzuwandern. Damals wollte ich die Einwinterungsarbeiten, so rasch wie es nur irgendwie ging, durchführen. Demzufolge wanderte ich mit mindestens einem vollen Aufsatz pro Volk (!) und einem vollen Brutnest nach Hause. (Eine Dummheit, die ich nie wiederholen werde, da meine Gehilfen samt mir an diesem Tag nach getaner Arbeit den Eindruck hatten, Arme zu besitzen, die 10 cm länger geworden waren). Sofort nach dem Abernten der heimgebrachten Dadantvölker wurde die Königin am Nachmittag abgefangen, eingekäfigt und im Volk belassen. Den Tag darauf, frühmorgens, brachte ich die Jungvölker her und weil alles schneller abgelaufen war, wie vorgesehen, begann ich die Langstroth- mit den Dadantvölkern zu vereinigen (dies war die "schlaue Lösung"), natürlich mit Zeitungspapier zwischen beiden, aber ohne Aromastoffe, die ich in der Hast vergessen hatte. Selbstverständlich nahm ich vor dem Vereinigen die im Dadantvolk gekäfigte Königin heraus. Schon am Abend dieses Tages dämmerte mir angesichts der Fluglochbeobachtung langsam der Gedanke, daß mit großer Wahrscheinlichkeit das Vereinigen diesmal gelingen könnte, was sich in den nächsten Tagen und im Auswintern klar bewies. Das Wiederholen dieser Art der Vereinigung in den nächsten Jahren bestätigte den 100% Erfolg.

Frage: Was war eigentlich falsch an den vorhergehenden Vereinigungen?

Antwort: Folgende Aspekte scheinen mir wertvoll genug, um besonders betont zu werden:

- Gewöhnt an brutlose Völker im Spätsommer, wie ich es mit der Carnica (Sklenar und Troisek), aber auch mit der Braunella und der hiesigen Landrasse war, kam mir der naheliegende Gedanke nicht, daß die F1 Buckfastvölker, oft noch schön in Eilage, auf das bloße Einkäfigen der im Volke belassenen Königin mit fast sofortiger Errichtung von Weiselzellen antworten würden.

- Den zweiten Fehler sehe ich darin, daß die im Dadantvolk gekäfigte Königin zwei bis vier Tage belassen wurde, bis sich für mich eine günstige Gelegenheit ergab, die Vereinigung durchzuführen.

Es geschah aber auch, daß ich einfach die Königin aus dem Volke nahm, um zwei oder drei Tage später die Weiselzellen lehrbuchgemäß vor dem Vereinigen zu zerstören. Dabei vergaß ich, daß im Spätjahr die Annahmebedingungen nicht dieselben sind, wie im Laufe des frühen Bienenjahres. Man kann also sagen, daß die Rationalisierung zuerst dem Volk und seiner Rasse angepasst sein muß und erst nachher den Bequemlichkeiten oder der Wirtschaftlichkeit des Imkers.

- Und endlich hatte ich ganz aus den Augen verloren, daß eine eingekäfigte, noch legende Königin in einem starken Buckfastvolk nach einem Tag schon das Gefühl von Weisellosigkeit auslöst, das die Errichtung von Nachschaffungszellen ermöglicht.

- Und schließlich vergaß ich auch, daß durch die plötzliche Wegnahme der Königin die so typische Unruhe weiselloser Völker ausgelöst wird. Dieser Zustand sollte vom Imker voll ausgenützt werden. Mit anderen Worten muß dem Herausnehmen der Königin oder ihrem höchstens 24stündigen Einkäfigen sofort das Aufsetzen des Langstrothvolkes samt seiner Königin folgen. Denn in diesem Moment ist die junge Königin besonders attraktiv. Die totale Verwirrung, man könnte sagen der "Ausnahmezustand" der Bienen zerstört die Harmonie, aber auch die Aggression der Bienen des Dadantvolkes, das in seiner Hilflosigkeit die Rettung im Anschluß an das Langstrothvolk mit junger Königin in Eilage sucht. Man kann also sagen, daß die Weiselunruhe, die kurz nach der Entnahme der Königin entsteht, einer Streßsituation gleicht, die vom Imker positiv ausgenützt werden sollte. Aus diesem Grunde bringe ich jetzt das Jungvolk entweder neben oder auf das Dadantvolk. Bei der erstbesten Gelegenheit entnehme ich die Dadantkönigin und vereinige sofort wie beschrieben, Jung- und Altvolk.

Frage: Vorher betonten Sie "vollbesetzte Langstrothvölker" für die Vereinigung. Kann man daraus entnehmen, daß es auch nicht voll besetzte Langstrothvölker bei Ihnen gibt?

Antwort: Nicht alle Jungvölker sind Ende September prallvoll mit Bienen, entweder weil sie zu spät erstellt wurden, oder weil die Königin sich aus irgend einem Grund als nicht ausreichend fruchtbar erwies. Diese Königinnen werden oder sind schon ohne jegliches Zögern ersetzt.

Frage: Erzeugen Sie durch die radikale Auslese weniger fruchtbarer Königinnen nicht "Fleischvölker"?

Antwort: Hier rühren Sie an etwas, was ich einen "Knotenpunkt" nennen würde, eine Weichenstellung, die entscheidet, ob man mit der Buckfastbiene arbeiten kann oder nicht, oder sanfter ausgedrückt, ob diese Biene zu einem paßt oder nicht.

Zudem bringt mich Ihre Frage in eine Art Ratlosigkeit, die genau zeigt, daß man beim besten Willen nicht immer fähig ist, alles weiter zu geben, was man oft unbewußt übernommen hat.

Frage: Ein kleines Beispiel würde mir helfen, Sie besser zu verstehen.

Antwort: Letztes Jahr schenkte mir ein guter Imkerfreund zwei reine Italienerköniginnen von einem ungekünstelten Stamm. Bruder ADAM, der eine Leidenschaft für klare, praxisverbundene Vergleichsversuche hat, riet mir, entgegen dem, was ich im stillen vorhatte, diese zwei Königinnen in Ertragsvölker einzuweiseln. So geschah es auch. Diese zwei Königinnen waren in der Entwicklung als Jungvolk überzeugend gut aber "etwas" sagte mir, daß ich vor zu fruchtbaren Königinnen stand. Der

Mehrverbrauch an Futter und die Vorratshaltung (bei den Jungvölkern wird ohne jegliches Sparen gefüttert, wenn es nur notwendig ist) war auch für mich sehr deutlich. Die Überwinterung war trotz des strengen (im Elsaß), langen Winters beispielhaft. Die Frühjahrsentwicklung dieser zwei Völker gehörte zur Gruppe der allerbesten des Standes. Trotz enormer Volksstärke entsprach der Honigertrag nicht dem gleich starker Buckfastvölker. Das Verhältnis Volksstärke - Honigertrag fiel zugunsten der Buckfastbiene aus. Um ein Drittel schwächere Buckfastvölker brachten dennoch ein Drittel mehr Honig, als die Ligusticavölker und das trotz vier aufeinanderfolgenden Blütentrachten, in denen sich die Italienerrasse bekanntlich am wohlsten fühlt. Hätte ich jedoch keine Buckfastbiene zur Verfügung, würde ich mich sofort für diese Biene entscheiden. Diese Italienervölker waren typische Fleischvölker, die es wegen ihres "Fleischüberschusses" geschafft hatten, noch rentabel zu sein. Mit weniger "Bienenfleisch" wäre hier der Ertrag minimal gewesen. Die Fruchtbarkeit hat die offensichtliche Kurzlebigkeit dieser Biene meisterhaft ausgeglichen. Die Erträge bei gleicher Arbeit sind im Endeffekt das wichtigste, ob durch Fleischvölker oder Hüngler. Der Ehrlichkeit zuliebe muß ich dies zugeben.

Frage: Gibt es auch Hünglertypen unter den Buckfastvölkern?

Antwort: In gewissem Sinne schon! Bei der Jungvölkernachschau lasse ich mich vor allem von der Bienenzahl der Völker beeinflussen, dann suche ich die Bestätigung der Völkermasse im Ausmaß der Brut. Steht diese Brutfläche in zu kleinem Verhältnis zur Bienenzahl, so hege ich schon eine Art Mißtrauen und frage mich, ob ich es hier nicht mit vielen, bald absterbenden Altbienen zu tun habe. Bei der geringsten Bestätigung meiner Befürchtungen ziehe ich, wenn möglich, ein gleichstarkes Volk mit mehr Brut für etwaige Weiterverwendungen vor (z.B. für Verstärkungen). Ergibt es sich aber im nächsten Frühjahr, daß ich vor einer "echten Hünglerkönigin" stehe, d.h. daß trotz wenig Brut viele Bienen vorhanden sind, so wird diese Königin in den Ertragsstand gebracht, wo sie eventuell eine nicht befriedigende Ertragskönigin ersetzen muß. Ich mache also von diesen sogenannten Hünglerköniginnen sofort Gebrauch und lasse sie nicht auf dem Reservestand. Ergänzen möchte ich noch, daß der, meiner Meinung nach, nicht exakte Begriff "Hüngler" besser durch den Begriff "langlebige Biene" ersetzt werden sollte. Im Vergleich zu der Italienerbiene ist die Buckfastrasse ein Hünglertyp. Der Vergleich mit der Carnica oder mit der Nigra ist demgemäß hinkend, denn die Maßstäbe stimmen einfach nicht mehr. Eine Beobachtung noch: Hüngler überwintern oft schlecht.

Frage: Auch hier würde ein kleines Beispiel mehr aussagen.

Antwort: Mein Siegervolk des vorletzten Jahres (1985) war in der Fruchtbarkeit, im ganzen gesehen, kaum durchschnittlich. Es war vielmehr eine Kombination von Hünglercharakter im üblichen Sinne, jedoch mit einer schlagartigen Fruchtbarkeit, die so lange anhielt, bis die Beute prallvoll mit Bienen war. Dann ging die Brutfreudigkeit stark zurück, weil, so denke ich, das Volk dank der besonderen Langlebigkeit der Einzelbienen auf seinem hohen Niveau blieb (für mich die einzigste Erklärung, da ein Zufliegen dank der Aufstellung in Gruppen unmöglich war). Daß dieses Volk besonders wenig Schwarmtrieb zeigte, zwar schwächer aber bis ins Spätjahr brütete, sei besonders unterstrichen. Was mich verwunderte, war die Sammelenergie, die einen großen Bienenverschleiß hätte mit sich bringen sollen.

Dieses Volk war weit über der Ertragsgrenze, die gewisse, mit Titel versehene Bienenspezialisten annehmen, ja sogar, wie sie irrtümlich meinen, sie sei nur mit Hilfe von Fütterungen zu erreichen. Es waren vorletztes Jahr 5 Völker (1985), die über dieser fatalen Grenze lagen. Weil ich aber rein prinzipiell nicht an der Ehrlichkeit der Mitmenschen zweifeln darf, die solche Behauptungen über Ertragsgrenzen aufstellen, muß ich annehmen, daß auch hier von falschen züchterischen und betriebstechnischen Maßstäben und Begriffen ausgegangen wird.

Der Buckfastimker hat demzufolge weniger Gefühl für Fleischvölker oder Hüngler, es geht ihm eher um eine Fruchtbarkeit, die ertragsbringend ist (oder nicht) und um die er bemüht ist, sie in seinen Jungvölkern zu entdecken und zu fördern.

Abschließend möchte ich hinzufügen, daß die Jungvölker, die nicht vereinigt werden, einfach überwintert werden, etliche sogar auf nur 4 oder 5 Langstrothwaben (Auflösung der Begattungskästchen im

September). Sie bilden fürs nächste Jahr den Vermehrungsstand, über dessen Zweck und Aufgaben wir noch sprechen werden.

Frage: Nach dem Vereinigen wird sicher gefüttert. Ich würde gerne wissen, womit Sie füttern und wie Sie vorgehen?

Antwort: Das Füttern der Ertragsvölker geschieht sofort, nachdem die oben aufgesetzten Langstrothzargen nach unten gebracht worden sind. Im selben Arbeitsgang wird der Futtertrog aufgesetzt und mit Apistar, jetzt "Butistar" genannt (einen aus Mais gewonnener, total invertierter Zucker), den ich einstweilen, bis ich auf besseres stoße, dem Kristallzucker vorziehe.

Frage: Warum dieser Vorzug für Butistar 75?

Antwort: Diese Frage zwingt mich, etwas weiter auszuholen: Die Tannentracht kann erst sehr spät beginnen, oder bis in den Oktober andauern. Da die Buckfastvölker länger brüten und somit volksstärker sind, ist es mir möglich, diese Tracht bis Ende September auszunützen, da ja nachträglich eine Verstärkung, wie oben erklärt, zustande kommt. Demzufolge wird auch spät gefüttert, d.h. wenn es gut geht, schon in den letzten Septembertagen, meist aber im Oktober. Die Gegend von Colmar, in der ich überwintere, macht sich durch seine relativ geringen Niederschläge bemerkbar. Aber nirgends steht geschrieben, daß alle Jahre im Oktober das günstige Wetter für die Futteraufnahme und deren vollständige Verwertung gewährleistet ist. Mein Ziel ist es nun, an Stelle von Blütenhonig, der das beste Futtermittel bleibt, ein Futter zu bieten, das leicht und schnell eingetragen werden kann und das dem Blütenhonig so ähnlich wie möglich ist. Butistar 75 erfüllt diese Bedingung zur Zeit am besten, weil seine Zusammensetzung dem Honig sehr nahe kommt und alle seine Zuckerinhalte invertiert sind. Die Bienen brauchen dieses Futter nur aufzunehmen, leicht zu verdicken, und zu verdeckeln. Einen pragmatischen Gesichtspunkt möchte ich noch anfügen. Wenn ich nicht die Gewissheit hätte, daß dieses Futter, das nennenswert teurer als Kristallzucker ist, letztendlich nicht das rentabelste wäre, würde ich es nicht mehr verwenden.

Frage: Wieviel füttern Sie im Durchschnitt einem Ertragsvolk?

Antwort: In den Tannenhonigjahren, insbesondere bei später Tracht, wie z.B. 1986, ist es nicht zu verhindern, daß auch dieser Honig im Brutnest aufgespeichert wird. In strengen Wintern ist Blatthonig gefährlich für die Bienen, insbesondere, wenn sie nicht etwa alle 4 Wochen einen Reinigungsflug durchführen können. So bleibt nichts anderes übrig, als diesen Honig aus dem Brutnest zu entfernen und auszuschleudern, um das Risiko der Erkrankung an "Ruhr" zu mindern. Eigenartigerweise sind es die guten Tannenhonigjahre, die mich zwingen, am meisten zu füttern. Die maximale Futtergabe beträgt 25 kg Butistar pro Volk. Dazu kommen noch die eigenen Reserven. 1986 beließ ich (mindestens) 4 volle Honigwaben, also je 2 Randwaben rechts und links im Brutnest. Diese Waben haben selbstverständlich einen hohen Blatthoniganteil, der jedoch erst im Frühjahr zum Verzehr kommt. Im Zentrum des Brutnestes wird ja das Futter abgelagert, das dann zuerst verbraucht wird. Somit ist das Risiko des Ruhrbefalls sehr klein. Im Frühjahr jedoch verfügen die Bienen für die Jungbienenaufzucht, auch über reinen Honig, der, wenn er auch mehr Ballaststoffe für die Bienen enthält, immer noch besser ist, als das einstweilen beste Futter, inbegriffen mein Butistar 75. Ballaststoffe können im Frühjahr ja leicht ausgeschieden werden. Entgegen dem, was oft gesagt wird, behaupte ich, daß die Buckfastbiene die sparsamste, mir bekannte Biene ist. Im Frühjahr aber, bei schlechtem Wetter, geht die Entwicklung bei der Buckfast wie bei anderen Bienen auf Kosten der Reserven. Jedoch erstellt die Buckfastbiene viel größere Brutflächen und somit ist auch die Futteraufnahme größer. Zu viele Imker, die mit dieser Biene beginnen, lassen sich von scheinbar ausreichenden Futterreserven ihrer Völker zu Beginn des Frühjahres täuschen. Sie hoffen trotz größten Risikos auf einen schönen Frühling, müssen dann jedoch plötzlich mit Futterteig oder mit Gießkannen voller Zuckerwasser zu ihren starken Völkern stürmen, die ja bekanntlich ihre Reserven am intensivsten zugunsten von großen Brutflächen verzehren.

Hier ist es wichtig, zu sagen, daß die Buckfast besonders gut überwacht werden sollte. Wenn sie nämlich mit dem Brutgeschäft beginnt, wird sie es trotz schlechten Wetters im Frühjahr nicht unterbrechen. Die glücklichen Folgen einer guten Fütterung bestehen darin, daß bei den allerersten Trachten (bei uns sind das meistens die Obstbäume, zum Teil überschnitten vom Raps) die Beuten förmlich von Bienen überquellen. Hingegen sind die im Herbst schlecht gefütterten und im Frühjahr zusätzlich vernachlässigten Völker entweder tot oder in schlechtem Zustand.

Das Mindestmaß der Auffütterung

Frage: Das Füttern ist eine unangenehme Mehrarbeit. Zahlreich sind in Frankreich die Berufsimker, welche die Nigra bevorzugen, weil sie spontan und selbstständig ihre Winterreserven anlegt. In Deutschland lobt man die Carnica, die sparsam mit Futter umzugehen versteht. Wie ist es hier mit der Buckfast?

Antwort: Sicher ist, daß die schwarze Biene in Frankreich durch den Druck einer harten Auslese seitens vieler Imker und Berufsimker auf Selbsteinwinterung in den noch imkerlich begnadeten Gegenden tendieren muß, wenn sie schlichtweg überleben will. Ich sehe darin auch einen Grund des Rückganges ihrer Fruchtbarkeit, den wir schon angedeutet haben. Einer meiner besten Imkerfreunde aus dem Westen Frankreichs (Berufsimker mit etwa 1000 Völkern) sagte mir glattweg: "Ta Buck bouffe de trop!" ("Deine Buck frisst zuviel!"). Kurz vorher sagte er mir stolz, daß die "Buck" sechs Aufsätze, die Schwarzen aber nur zwei Aufsätze mit Honig gefüllt hatten. Als ich meinen Freund auf diese Tatsachen aufmerksam machte, meinte er in aller Ehrlichkeit: "Verstehst du, ich habe bei meiner Betriebsweise einfach nicht viel Zeit (er und seine Frau führen alleine die Bienen und die Honigvermarktung!), im Herbst zu füttern. Was nützt mir dann eine große Ernte, wenn ich füttern muß ?

Ein im Süden lebender Berufsimker betreut mit seiner Frau über 2000 Völker, jedoch muß besonders betont werden, daß bei ihm alles bis aufs letzte mechanisiert ist. Er sagte mir, daß er im Jahr nur eine Völkerdurchsicht im Frühjahr machen könne, um bei dieser Gelegenheit unten im Dadantbrutnest den Bau zu erneuern. Stolz fügte er hinzu, daß er nur zwei drohnenbrütige Völker angetroffen hätte. Er füttert demzufolge nur notgedrungen. Als er mir aber traurig mitteilte, daß sein einziger Sohn ihm vom Betrieb weggelaufen sei, wunderte ich mich wenig. Auch sagte er mir, daß er jetzt den Betrieb verkleinern wolle, weil es einfach zuviel wäre. Logischerweise fehlt in diesem Betrieb eine Schwarmverhinderung oder gar eine Königinnenzucht total.

Dies klingt hier im Elsaß wie ein guter Witz!

Im stillen schmunzele ich über die mannigfaltigen Arten der Imkerei, insbesondere, wenn ich vergleiche, was die Lehrbücher Zentraleuropas oder sonstwo sagen und was z.B. in solch großen Imkereien gemacht wird. Bemerkenswert sind auch die Anforderungen, die unter diesen

Bedingungen von den Bienen ausgehalten werden. Man könnten sagen: auch das ist eine Auslese! Sicher ist, daß das Futterproblem nicht zugunsten der Buckfast ausschlägt, solange solche Imker (wohl extreme Beispiele) so extensiv arbeiten können, wie das in Frankreich noch möglich ist. Die Frage ist nur, wie lange noch?

Als ich mir im Jahre 1968 in Österreich dank der Angaben von Prof. Ruttner, die Braunella, also eine typische Nigra, holen konnte, traf ich Herrn Schwarzenberger, der mir besonders ans Herz legte: "Aufpassen, diese Biene muß mehr gefüttert werden, als die anderen". Gemeint war hier die Carnica.

Frage: Demzufolge müsste ja die Carnica noch sparsamer sein!

Antwort: Auf jeden Fall! Dies trifft insbesondere für die Carnica zu, der ich in den 50er Jahren begegnet bin. Leider ist dieser oft glänzende Sparsinn, diese extreme Anpassung, nicht ohne Nachteile gewesen.

Wie schon angedeutet, ist hier nicht nur ein sofortiges Anpassen des Brutgeschäftes an die Witterung gemeint, sondern auch eine Art Anpassung der Volksmasse. So beobachtete ich regelmäßig, daß große Herbstvölker systematisch kaum noch mittelstark aus dem Winter kamen.

Es war, wie wenn die Carnica, die ja früh mit dem Brüten aufhört, die überflüssigen Altbienen frühzeitig beseitigt hätte.

Das oft schlagartige Wechseln des Wetters im Vorfrühling nach einer kurzen, warmen Schönwetterperiode, wird zu nachteilig für das Volk, weil die Ammenbienen auf Kosten der Zucker-Honigreserven, und ihrer körpereigenen Eiweißreserven das zu früh groß gewordene Brutnest bei kalten Außentemperaturen erhalten müssen. Der Preis dieser an sich phänomenalen Leistung ist die große Empfindlichkeit gegen Nosema und eine Volksstärke, die weder eine große Rapsernte, noch eine gute Akazienernte erhoffen lassen. Dieser Sparsinn der Carnica zwingt diese so tüchtige Biene auch, viel zu früh für unsere Tannenhonigernten, die Brut schon im Spätsommer vorzeitig abzubrechen, was wiederum zur übertriebenen Schwächung der Winterbienen führen kann, wenn man nicht beizeiten den Wald verlässt.

Die Schwächen der Buckfast im Frühjahr, sowie die der anderen Rassen , sind besonders in ihrer Beziehung zu den Spättrachterträgen zu werten. Das neue Bienenjahr beginnt eben schon im Spätsommer. Tracht und Witterung von Spätsommer, Herbst und Frühling müssen bei der Beurteilung berücksichtigt werden.

Es sollte auch nicht vergessen werden, daß die Buckfast eine starke Tendenz hat, im Frühjahr den Honig brutnestfern zu lagern, was ja günstigerweise das Brutnest befreit, aber wiederum eine gewisse Vorsicht (besonders bei ganz fruchtbaren Königinnen) bei der Entnahme der Frühjahrsernte aus dem Honigraum gebietet, damit dem Volk eine Mindestreserve erhalten bleibt, wenn 11 bis 12 Brutwaben vorhanden sind. Ende des Sommers hat die Buckfast eine deutliche Tendenz, den Honig brutnah zu lagern. Sie kann in gewissen Jahren beachtliche Reserven einlagern (vorausgesetzt, daß es honigt) und ungefüttert problemlos den Winter, insbesondere die Frühjahrsentwicklung bestehen (ausser mit Tannenhonig).

Aber auch hier ist Vorsicht geboten. In gewissen Jahren, in welchen sich eine mittlere Spättracht mit viel Pollen bietet, sind die Spitzenvölker (in diesem Falle meistens F1) geneigt, die Brut beinahe uneingeschränkt weiterzuführen und können gezwungenerweise wenig Honig nach unten lagern. Beim Abernten müssen diese Völker über den Durchschnitt (aber nicht über 25 kg Butistar) gefüttert werden. Dieser Nachteil ist aber durch den Mehrertrag vorbezahlt. In Anbetracht der Ernte und dessen, was man bei der Buckfast verfüttert (selbst wenn man freigiebig ist), ist sie immer noch rentabel.

Wenn man nur das Futter, das pro Volk gegeben wurde, in Betracht zieht, ohne die Stärke des Volkes und die Ernteergebnisse zu beachten, so ist es unbestreitbar, daß ein Buckfastvolk mehr gefüttert werden muß als ein Nigra- oder Carnicavolk.

Frage: Was tun Sie nach der Fütterung?

Letzte Jahresarbeiten

Antwort: Die Flugbretter werden bei Einstellung des kalten Wetters weggenommen, es wird geprüft, ob der kleine mäusesichere Fluglochkeil am Platz ist. Bei dieser Gelegenheit wird auch der Futtertrog abgenommen. Außer der noch fälligen Varroabekämpfung lasse ich dann den Völkern ihre (mehr als) wohlverdiente Ruhe.

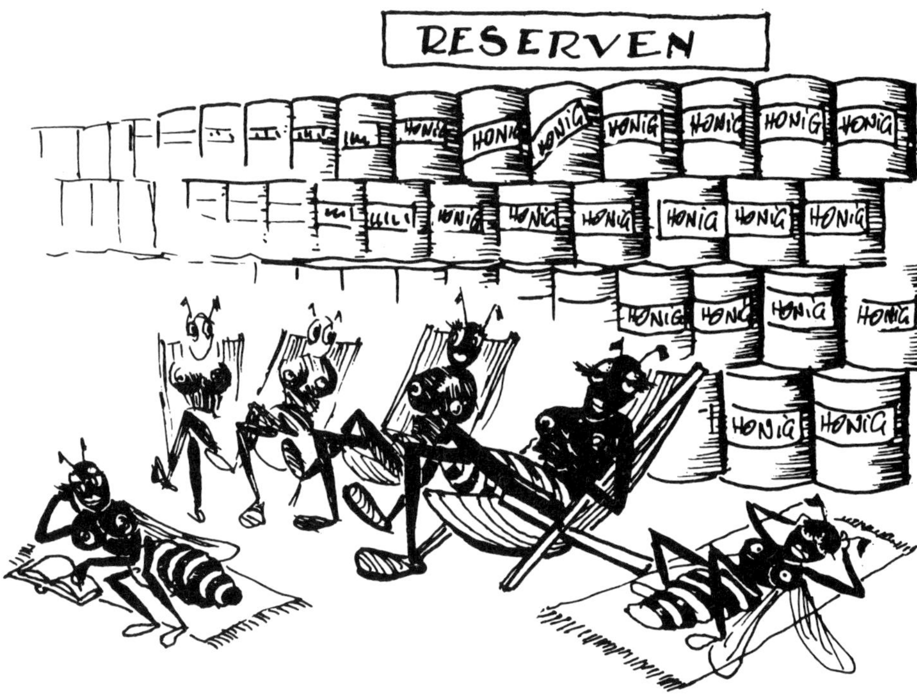

Die Wegnahme der Langstrothzarge im Frühjahr

Frage: Mittlerweile sind wir im Frühjahr angelangt. Könnten Sie jetzt bitte die Reihenfolge der verschiedenen Arbeiten erläutern?

Antwort: Die erste Arbeit ist praktisch ausnahmslos Anfangs März fällig, wenn ich den Völkern die Langstrothzarge wegnehme, mit der ich im Vorjahr die Dadantvölker verstärkt hatte.

Frage: Dieser frühe Eingriff erscheint mir ein wenig verwegen, zumal das Elsaß im kontinentalen Klimabereich liegt. Warum also diese Arbeit so früh unternehmen, wenn sie doch später getan werden könnte?

Antwort: Das Entfernen der Zarge im März hat genau den Zweck, das Volk sowenig wie möglich zu stören. Natürlich wird man für diese Arbeit einen Tag wählen, der warm genug ist, um Bienenflug zu erlauben. Während der kalten Periode hat die Wintertraube langsam zugunsten der Dadantzarge die Langstrothzarge verlassen. Im Dadantkasten wird systematisch ein Brutnest angelegt. Es ist somit leicht, den Langstrothkasten zu entfernen, und die wenigen Bienen vor das Flugloch zu schütteln, an welches man bei derselben Gelegenheit das Flugbrett wieder anbringt. In Jahren mit zeitigem Frühling gab es bei einzelnen Völkern Brut, die schon auf den Langstrothteil übergegriffen hatte. In diesem Falle (sehr selten) setze ich den Langstroth auf den Dadant mit dem dazwischengelegten Absperrgitter, bis sämtliche Brut geschlüpft ist. In diesem "günstigen" Frühling kann es wichtig sein, daß man den Raum der Völker nicht zu sehr beschränkt. Die Lösung bringt das Aufsetzen einer Halbzarge.

Seit jedoch bei derselben Gelegenheit der Untersatz wieder an seinen Platz kommt, ist die Aufsatzgabe eine höchst seltene Ausnahme.

Diese Arbeit wird zu zweit gemacht, denn einen 12er Dadant samt Nahrung und Bienen zu heben ist eine Leistung, die dem Durchschnitt-simker nicht zuzumuten ist. Es ist selbstverständlich, daß man bei diesem Eingriff auch den Unterboden reinigt oder noch besser gegen einen gereinigten auswechselt, und die eventuell noch eingeschobene Windel entfernt oder einfach auswechselt.

Wenn rationell gearbeitet wird, ist dieser Eingriff sehr schnell und problemlos erledigt (siehe auch im Büchlein von Günther Ries, wie er diese Arbeit im Einmannbetrieb unternimmt - Adresse am Ende dieses Buches).

Der Reihenfolge nach aufgezählt, sieht die Sache so aus:

Arbeitsprogramm der ersten Jahresnachschau

1) Eine leere Dadantbeute, sie dient als Auflage, neben das Volk stellen und einige Stöße Rauch durch das Flugloch geben.

2) Mit dem Stockmeissel den Dadant vom Langstroth trennen und leicht Rauch geben.

3) Den vollen Dadant auf den leeren neben das Volk stellen.

4) Den Langstroth wegnehmen.

5) Die Varroawindel samt Gitter wegnehmen (wenn noch vorhanden).

6) Beutennummer auf die Windel schreiben.

7) Boden wechseln (oder zumindest gut reinigen).

8) Eine neue Varroawindel samt Gitter auf den Boden legen.

9) Den Unteraufsatz auf den Boden setzen und Flugbrett anbringen.

10) Den Dadantbrutraum wieder aufsetzen und, so es die Witterung erlaubt, eine schnelle Nachschau in diesem durchführen!

11) Einen Aufsatz samt Waben mit untergelegtem Absperrgitter auf den Dadant aufsetzen (nur ausnahmsweise nötig).

12) Die Bienen der Langstrothzarge vor das Flugloch fegen.

13) Den oft noch gut mit Futter versehenen Langstrothkasten vor Räuberei schützen.

14) Gründliche Notizen über das Volk machen: Gesamteindruck, Stand der Reserven, Stand der Brut, sichtbare Winterverluste, usw.

Aufzeichnungen

Für diese letzte Arbeit sei gesagt, daß sie von ganz besonderer Wichtigkeit ist. Selbst Imker mit gutem Gedächtnis (das ich sowieso nicht habe), müssen dies tun, wenn sie zurecht kommen wollen.

Das ganze Jahr hindurch wird bei jeder Maßnahme an einem Wirtschaftsvolk der Tatbestand kurz notiert. Der kleine Zeitverlust, der diese Arbeit verursacht, ist durch eine große Menge wertvoller Angaben aufgewogen, die ich mir nicht ersparen kann, wenn ich Zucht oder gar Auslese betreiben will. Der Ehrlichkeit halber sei gesagt, daß ich jahrelang mit mir kämpfen mußte, um mir diese einfache Disziplin aufzuerlegen. Der Zeitverlust schien mir einfach zu groß und ich ertrug die Unterbrechung der Arbeit sehr schwer. Jedoch kann man aus dem Notieren eine Gewohnheit machen und wenn diese eingefleischt ist, gehört sie zu den üblichen Arbeiten, wie z.B. das Rauchgeben oder ähnliches. Wir werden von diesem Kapitel sowieso noch mehr hören. Nun ist es Ihnen sicher klarer, warum ich solchen Wert darauf lege, daß die verschiedenen Beuten genau aufeinander passen.

Frage: Ich verstehe diese Notwendigkeit nur zu gut, aber wenn man mit drei Rähmchenmaßen arbeiten muß, ist es nicht besonders beispielhaft, selbst wenn die verschiedenen Modelle aufeinander passen!

Kritische Studie der verwendeten Beuten

Antwort: Ihr Vorbehalt ist völlig normal. Anbei die einzelnen Erklärungen über diese scheinbar zweifelhafte Wahl.

Wenn Sie der Sache näherkommen, bemerken Sie, daß ich im Grunde drei imkerliche Abteilungen besitze, oder noch besser ausgedrückt, drei verschiedene "Imkereien", von denen jede für ihren Zweck das beste Wabenmaß in Anspruch nimmt. Dies alles nur, um dem biologischen Optimum entgegenzukommen:

a) Die Ertragsabteilung mit den Flugbienen und deren Brut, die im 12er Dadant zu Hause ist.

b) Die Vermehrungsabteilung und die Zucht, welche die Ersatzbienen und die Königin, aber auch die Verjüngung liefert und die den 12er Langstroth benützt.

c) Die Honigsammelabteilung, Flachzargen mit 10 Dickwaben

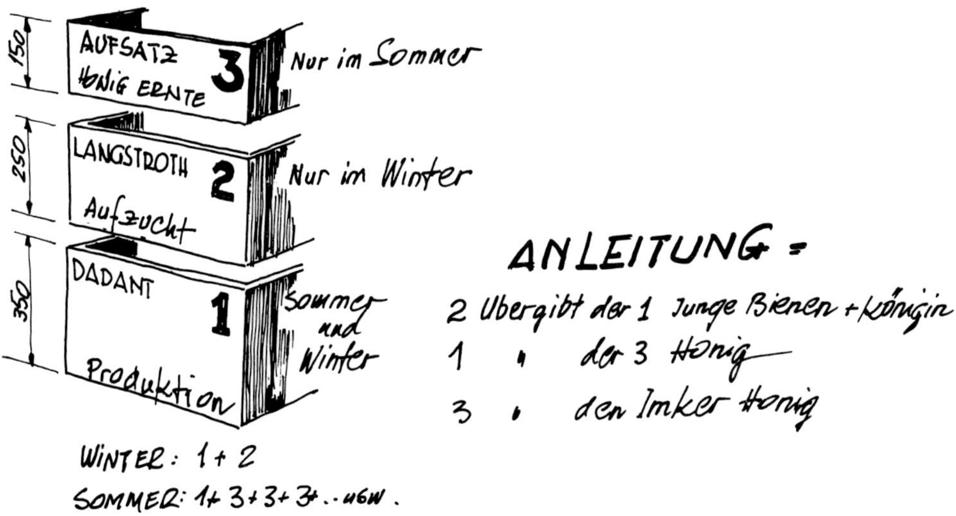

Beifügen möchte ich noch, daß die 3 Abteilungen oder Sphären nie ineinandergreifen; sie berühren sich nur, um einander das, was sie besitzen, zu übergeben. Ähnlich geschieht es z.B. im osmotischen Austausch der Gase oder Flüssigkeiten.

So übergibt die Langstrothzarge ihre junge Königin und Bienen der Dadantzarge, und diese ihren überschüssigen Honig dem Aufsatz. Hier braucht man z.B. nicht Bienen von einer Abteilung in die andere umsetzen. Dies geschieht im Rhytmus der Beute und zur richtigen Zeit, ohne Drang!

Das andere Argument, in meinen Augen das wichtigste, ist das des biologischen Optimums, das wir schon oft erwähnt haben. Dieses Optimum hat hier im Grunde bei der Rähmchenwahl Pate gestanden. Es ist schon genug von der 12er Dadantbeute gesprochen worden, die so gut zur Buckfastbiene paßt, jedoch sollte hinzugefügt werden, daß es bei Völkerkontrollen, von denen wir noch sprechen werden, genügt, im schlimmsten Falle nur 12 Rähmchen zu ziehen, um das gesamte Brutnest zu untersuchen. Die Zeit der Störung, welche ein Beuteneingriff verursacht, ist somit auf ein Mindestmaß reduziert. Dieser Zeitgewinn ist hingegen von Berufsimkern (auch Nebenerwerbsimkern) sehr geschätzt, denn die Rendite ist und bleibt heutzutage seine Hauptsorge.

Niemand wird übrigens streitig machen wollen, daß sich ein Dreiwabenableger besser und harmonischer auf Langstroth- als auf Dadantwaben entwickelt. Zudem ist das Überwintern auf diesen recht handlichen Rähmchen erfahrungsgemäß problemlos. Bei Verkauf oder Kauf ist die Langstrothbeute sowieso überall, insbesondere im EWG-Raum zu finden.

Die Vorteile, die das Aufsatzrähmchenmaß bietet, wurden zum Teil schon erörtert. Es scheint mir aber, daß mir hier, angesichts der Art und Weise, wie die Bienen diesen Vorratsspeicher benutzen und besetzen, noch lange nicht alle seine biologischen Vorteile in die Augen gesprungen sind, obwohl bei seiner Entstehung der wirtschaftliche Aspekt dominierend gewesen sein muß.

Diese Argumente bewirken zusammen mit vielen anderen, die wir zum Teil nicht hervorheben werden, daß letztendlich die Wahl von 3 Rähmchenmaßen (immer noch kein Rähmchensalat...) alles andere als schlecht ist. Es sollte nicht vergessen werden, daß den Anforderungen des Biens soweit wie möglich Rechnung getragen werden sollte, wie es z.B. die Krankheitsresistenz und die Ernteergebnisse demonstrieren.

Frage: Nicht daß Ihre Argumente total überzeugend wirken, aber immerhin entsprechen sie einer systemgetreuen Logik. Aber zwei Dinge stören mich: a) Bruder ADAM hat das Langstrothmaß nicht übernommen. b) Überall in der Imkerei werden Beutetypen verwendet, die einfach hinterher "heiliggesprochen" werden, wie etwa bei Ihnen mit dem "Segen" des biologischen Optimums! Ein kluger Imker, das ist weit und breit bewiesen, kann mit irgend einem Beutentyp arbeiten und diesen nachträglich felsenfest als bestmögliche Wahl preisen. Die Beute wirkt hier wie eine Art Kristallisierung des imkerlichen Denkens. Der Beweis für meine These sind die imkerlichen Bibliotheken, die von solchen egozentrischen Sichten förmlich überladen sind. Manchmal hat man Sehnsucht nach wirklich Neuem, nicht nach immer wieder Aufgewärmtem! Bitte nehmen Sie zu der etwas hart ausgedrückten, aber ehrlichen Meinung Stellung!

Antwort: Wiederum ein schönes Thema, das am besten praxisnah betrachtet werden sollte. Der Reihenfolge nach:

Es stimmt irgendwie, wenn Sie sagen, daß man bei gewissen Beutetypen erst hinterher vieles entdeckt hat. Die Langstrothbeute ist hier ein gutes Beispiel, denn sie soll eine Seifenkiste gewesen sein, die Langstroth einfach für seine Versuche verwendet hat, weil er im Moment nichts anderes zur Verfügung hatte. Andere Beutetypen entsprangen theoretisch und praktisch wohldurchdachten Versuchen. Was man aber zu sagen vergißt, ist die Tatsache, daß alle diese Beuten einer bewußten oder unbewußten Vorbelastung entsprangen. Gut ist erst, was sich in sehr verschiedenen Lagen, Klima, Wirtschaftlichkeit, Betriebsweise usw. über lange Zeit bewährt hat. Darum heißt es zunächst zu suchen, bevor man seiner Intelligenz und seinem "Erfindergeist" freien Lauf gibt. Man kann sagen, daß Bruder ADAM diesen Weg gegangen ist. Er hatte eine bestimmte Biene, Für diese suchte er sich in langen, zahlreichen, mühsamen Versuchen die beste Beute, frei von jeglichen ideologischen Zwängen. So geschah es mit seiner Dadantbeute wie mit seinem Ablegermaß. Es war alles, nur kein Zufall.

Die Langstrothbeute oder sehr ähnliches hatte Bruder ADAM schon am Stande. Weil sie aber unter seinen Bedingungen keine Verbesserung brachte, wurde sie weggelassen. Also ein Beweis seiner Unabhängigkeit.

Meine 12er Langstrothbeute habe ich, wie schon oft betont, von den Herren Fehrenbach übernommen. Ich glaube nicht, daß die Herren Fehrenbach diese Beute lange ausprobiert hatten. Sie imkerten, bevor sie auf die Buckfastbiene übergingen, auf Zandermaß, das Dank seiner langen Trageohren wahlweise mit dem Langstrothrähmchen eingehängt werden konnte. Wie Sie ja schon wissen, hat aber das Langstrothmaß dieselbe Breite wie das Dadant. Somit schufen die Herren Fehrenbach die einzigste mir bekannte zwölfrahmige Langstrothbeute.

Daß sich hinterher dieser Sachzwang als gut herausstellte (wirtschaftlich, wie auch im Sinne des biologischen Optimums), war aber nur eine scheinbare Glücksache. Das Langstrothmaß ist das älteste Maß, das in Gebrauch ist. Wäre es nicht ein gutes Maß, so würde es mit tausend anderen Maßen in Vergessenheit ruhen. Daß Langstroth mit seiner Seifenkiste ein unverschämtes Glück hatte, ist unbestreitbar, wenn es stimmt, daß er diese Kiste aufs Geratewohl gewählt hat.

Sicher ist, daß ein klugen Imker aus jeder Beute das Beste herausholen kann, wenn nicht, wäre er ein festgefahrener Spezialist und kein anpassungsfähiger Imker. Der springende Punkt ist eher die Größe der Ernte, oder besser gesagt, die größte Rendite, die aus dem jeweiligen

Beutentyp über Jahre hinweg erreicht werden kann. Nur so kann man sicher sein, daß alle Faktoren, insbesondere die, die das biologische Optimum betreffen, berücksichtigt sind. Ein Imker darf sich nie zu "sicher" sein. Vielmehr benötigt er jene imkerliche Freiheit, die ihn befähigt, sein Handeln in Frage zu stellen. Nur so kann man scheinbar endgültigen Realitäten eine Steigerung verleihen. Richtschnur für diese Grundeinstellung ist natürlich die Biologie der Biene.

Sicher, in jedem guten Imker ist eine Art Neugier vorhanden, die irgendwie gestillt werden möchte. Ohne diese gäbe es keinen Fortschritt. Aber, wie Sie selbst so schön sagen, ist viel "Neues" oft nur "Aufgewärmtes". Neues für uns Imker muß mehr sein, als neue Beuten, neue Betriebsweisen usw. Uns sollte es eher darum gehen, jenen Prozeß immer besser zu verstehen, der sich aus dem Zusammenspiel von Umwelt (eine sich ständig ändernde Gegebenheit) - Biene - Beute - Imker ergibt. Je größer die Harmonie in diesem "Spiel" ist, umso höher fällt auch die Ernte aus. Sie ist dann weniger das Ergebnis großer Schinderei, sondern vielmehr das Resultat bewußter Lenkung und Führung des Volkes. Imkern erfordert eben Sensibilität für Biene und Umwelt.

Frage: Ich möchte jetzt gerne die weiteren Arbeiten im Frühjahr kennenlernen.

Die große Frühjahrsnachschau

Antwort: Die Entwicklung der Völker im Frühjahr hängt natürlich von den meteorologischen Bedingungen ab. Eine genaue Angabe des jeweiligen Datums ist somit unmöglich, denn Verschiebungen von einem Monat innerhalb eines Jahres können durchaus möglich sein.

Bei der ersten Nachschau kann man oft nur den unteren Langstrothraum wegnehmen und den Unterboden an seinen Platz bringen. Somit drängt sich förmlich die große Frühjahrsnachschau auf, bei der

Bruder ADAM seinen mit Recht berühmt (darum auch kritisiert!) gewordenen Ausgleich durchführt. Seine 320 Ertragsvölker werden somit alle auf eine etwa gleiche Volksstärke gebracht.

In seinem beispielhaften Buch "Meine Betriebsweise"* erklärt Bruder ADAM in allen Einzelheiten die Vorteile dieses Eingriffes. Diese bestehen darin, die Arbeiten zu vereinfachen und jedem Volk mit seiner neuen Königin zu Beginn des aktiven Bienenjahres die gleichen Chancen zu geben. So erlangt Bruder ADAM eine wissenschaftliche Basis, die ihm eine objektive, von äußeren Umständen unabhängige Auslese ermöglicht. Natürlich werden auch hier die Überwinterungsergebnisse in die Auslese einbezogen.

* Ehrenwirth Verlag

Bei mir wird im Frühjahr wohl auch ausgeglichen, aber in einem verminderten Maße, denn diese geschah teilweise schon im Spätherbst durch die Verstärkung des Dadantvolkes mit dem Langstroth-Jungvolk, das ja schon eine bewährte Jungkönigin besitzt. Mit Hilfe meiner Notizen versuche ich so gut es geht, so zu verstärken, daß schon von Beginn an eine annähernd gleiche Stärke bei allen Völkern vorhanden ist.

Sicher bringt der Winter unvermeidbare Unterschiede der Völker zutage. Das Durchschnittsalter der vereinigten Bienen, von dem der Winterbienenverlust beeinflußt ist, kann nicht im voraus genau abgeschätzt werden. Jedoch stelle ich fest, daß die Differenzen von einem Volk zum anderen gering, ja beinahe unbedeutend sind, ausgenommen wenn eine Königin verloren ging. Darum ist es wichtig, das Vereinigen im Spätjahr gut zu beherrschen. In diesem Falle ziehe ich es eher vor, das geschwächte Ertragsvolk mit einem neuen Langstrothvolk plus Jungkönigin nochmals zu verstärken, als andere Ertragsvölker zu schwächen. Diese Reservevölker kommen aus dem Vermehrungsstand. In der Imkerei bestätigt, wie selten wo anders, die Ausnahme die Regel. Wenn ein Ertragsvolk im Verhältnis zu den anderen zu stark erscheint, weil der Spätjahrausgleich zu geglückt war, wird dieses Volk zugunsten eines schwächeren geschröpft. Wie gesagt, es ist eher ein Einzelfall.

Nach dieser Nachschau ist es nicht selten, daß jedes Volk seinen Aufsatz bekommt. Trotz der Gefahr, mich unnötig zu wiederholen, möchte ich nochmals darauf hinweisen, daß in dieser Periode ein großer Verbrauch von Futterreserven stattfindet.

Öfters liefert aber die Natur zu dieser Zeit (zumal im Elsaß) den Völkern sehr wenig. Im allgemeinen hingegen ist Pollen zu Genüge vorhanden, der von der Buckfastbiene emsig eingeholt wird, da jeder Sonnenstrahl genützt wird, um das wertvolle Protein einzuheimsen (darum auch die Ausdehnung der Brutflächen!).

Also genau in dieser Zeit schätzt man es besonders, daß man im Spätherbst die Völker gut versorgt hat.

In gewissen Jahren ist es möglich, während dieser Nachschau schon eine Bauerneuerung vorzunehmen. Diese allerwichtigste Arbeit ist nicht so leicht, wie man sich dies vorstellt, wenn es um starke Großvölker geht.

Bauerneuerung

Frage: Dieses Kapitel scheint mir aus vielerlei Gründen wichtig, weil es da Probleme gibt, die beleuchtet werden müssen. Durch Probleme lernt man weit mehr als mit glänzenden Erfolgsanzeigen!

Antwort: In einer Großbeute sind die Brutzyklen sehr intensiv. Darum altern die Waben auch schneller. Das Auswechseln muß darum häufiger geschehen. Das ist eine oft vergessene Binsenweisheit.

Jedoch dehnt sich im Frühjahr die Brut schnell auf 6 bis 8 Dadantwaben aus. Es ist bekannt, daß es jedem Imker widersteht, eine Brutwabe, und sei sie noch so alt, zu entfernen. Aus dieser Feststellung entspringt eine weithin bekannte Regel, daß alles während der Bienensaison gemacht werden muß, damit die alten Waben schrittweise an den Rand des Brutnestes gelangen. Nehmen wir also an, daß dies getan wurde. Immerhin bleibt ein Problem bestehen: Die Außenwaben (außer der Brut...) sind meistens mit Futter oder Honig versehen. Die Frühjahrszeit ist aber eine unsichere Zeit. Völker dieser Art von einer oder gar mehreren Futterwaben zu entlasten, ist ein Risiko. Bald wird die Brut von 8 auf 10 Waben, oft auf 11 Waben gehen. Wie Sie sehen, genügt es hier nicht, das Problem mit "man muß" oder "man braucht nur" zu regeln.

Sicher kann eine peinliche Beobachtung der Wetterbedingungen, oder der Zustand der Völker nur teilweise das heikle Problem der zu 33% erwünschten Bauerneuerung lösen.

Frage: Sie verfehlen keine Gelegenheit, sich auf Bruder ADAM oder seine Freunde zu beziehen, die die gleichen Bedingungen antreffen wie Sie. Wie haben diese das Problem gelöst?

Antwort: Bruder ADAM verstärkt nicht im Spätjahr, weil er keine nennenswerte Frühtracht bei sich vorfindet. Im Spätjahr verengt er seine Völker oft bis auf 6 Waben. Im Frühjahr braucht er dann nur der Entwicklung gemäß Mittelwände einzuhängen, um die gewünschte Bauerneuerung zu erreichen.

Was meine Freunde anbelangt, haben Sie, wenn Sie mit ähnlich starken Völkern arbeiten, wie ich, dieselben Probleme.

Sie haben sicher gut mitbekommen, daß es Probleme gibt, wenn sich die Brut wie bei mir, im Frühjahr so schnell auf viele Waben ausbreitet. Eine glückliche Lösung wurde mir durch meine Langstroth-Vermehrungsvölker möglich. Die Jungköniginnen dieser Völker entfachen im Frühjahr mit ganz wenig Ausnahmen eine blitzschnelle Entwicklung, die mich immer wieder in Erstaunen versetzt. Dies wird in erheblichem Maß durch Raps- und Akazientracht verstärkt. In Rekordzeit ist der 12er Langstrothraum knallvoll mit Bienen. Ein Schwärmen wäre die logische Folge, wenn man diese überlaufende Vitalität nicht in nutzbringende Bahnen lenken würde.

Die Bauvölker

In dieser Situation ergeben sich zwei Möglichkeiten:

1) Die Völker für die Ablegerbildung schröpfen.

2) Ihnen Bau und Ausweitungsmöglichkeiten geben.

Ein Teil (ungefähr 50%) der überwinterten Langstrothvölker wird zugunsten der zu bildenden Ableger stark geschwächt.

Der andere Teil bekommt ganz einfach, an Stelle eines Aufsatzes, eine Dadantzarge (!) aufgesetzt, die mit zwei ausgebauten Waben und 10 Mittelwänden ausstaffiert ist.

In normalen Jahren erhalte ich somit ohne Anstrengung den neuen Wabenbau, den ich für die Wirtschaftsvölker benötige. In vielen dieser Waben ist Brut. Diese jungen Brutwaben tausche ich dann gegen gleichwertige alte aus den Ertragsvölkern aus. In guten Jahren bleibt sogar eine Zahl junger, verdeckelter Honigwaben übrig, die ich im Spätherbst den Ertragsvölkern an Stelle einer Fütterung zuhänge.

Zu bemerken ist, daß diese "Bauvölker" nach der Akazientracht ohne weiteres wie die anderen für Ablegerbildung verwendet werden können.

Frage: Sie geben also die Altwaben aus dem Dadantvolk, die oft mit Brut besetzt sind, dem Langstrothvolk zurück. Erklären Sie bitte genau, was aus diesen Altwaben wird.

Antwort: Ihre Frage hilft mir, den genauen Ablauf der Bautätigkeit im "Bauvolk" zu schildern:

Das vitale Langstrothvolk bekommt eine Dadantzarge, ausgestattet mit Mittelwänden, zum Ausbauen aufgesetzt. Je nach Tracht wird oben zügig ausgebaut und die Königin wird von diesen großen Legemöglichkeiten angezogen. Sie steigt in den Dadantraum und beginnt zu legen. Sofort schiebe ich ein Absperrgitter ein, damit die Königin im Dadant bleibt, was die Bautätigkeit und das Brutgeschäft im oberen Raum bestens fördert.

Wenn der Moment zum Austauschen der Jung- durch Altwaben gekommen ist, wird die Königin abgefangen und wieder unter das Absperrgitter in den Langstroth gebracht. Somit kann die Brut in den

Altwaben auslaufen. Während dieser Zeit baut die Königin im Langstroth ein neues Brutnest auf. Bevor man die Königin wieder in den Langstroth gibt, kann man auch dort Bauerneuerung durchführen.

Frage: Wenn Sie die Königin im Dadantraum gewissermaßen einsperren, gibt es dann keine Weiselzellen unten im Langstrothraum?

Antwort: Wenn man lange genug wartet, bis oben das Brutnest groß genug ist (6 Waben), dann besteht keine "Zellengefahr". Jedoch zugegeben, aus zeittechnischen Gründen hat man oft gerade um diese Zeit nicht immer die Möglichkeit, bei jedem Volk den richtigen Moment abzuwarten. Sobald ich die Königin im Dadantraum bemerke, wird das Absperrgitter dazwischen geschoben. Acht, höchstens zehn Tage später, werden die Langstrothwaben auf Weiselzellen kontrolliert, damit ich volle Garantie habe. Diese Arbeiten sind bei reinen Buckfastköniginnen hinfällig, bei F1 Buckfastköniginnen beinahe unumgänglich.

Frage: Was wird aus diesen Völkern, wenn die Altwaben im Dadant ausgelaufen sind?

Antwort: Es ergeben sich wieder 2 Möglichkeiten:

A) Die Völker werden zugunsten von Jungvölkern geschröpft. Dabei wird mit Hilfe der Bienenflucht die Dadantzarge "abgeerntet".

B) Man entfernt den Dadantraum mit Hilfe der Bienenflucht und setzt an Stelle dieses Raumes zwei Aufsätze und geht mit diesem Volk in die Lindentracht, anschließend in die Heidetracht, nie aber in die Tannentracht, welche diese Völker nur unnütz belasten würde.

In dieser Situation kann man auch ein prachtvolles Zuchtvolk erstellen. Außerdem besteht die Möglichkeit, neue Dadantvölker aufzubauen (in diesem Falle beläßt man aber die Jungwaben im Dadant), indem man, sobald keine offene Brut mehr vorhanden ist, die Dadantwaben abseits stellt und eine junge Königin einweiselt.

Noch viele Möglichkeiten können hier ausgenützt werden.

Nebenbei sei bemerkt, daß ich mit diesem System 2 Dinge erreiche:

a) Ich kann die Auslagen des Vermehrungsstandes durch eine oder zwei Ernten bezahlen.

b) Es ist mir möglich, während der Tannentracht auch Blütentrachten auszunützen und somit meinen Honigkunden eine größere Auswahl anbieten.

Frage: Bestehen beim Ausbau der Aufsätze Probleme?

Antwort: Wäre dies der Fall, so hätte ich die hier beschriebene Betriebsweise aufgegeben. Die Aufsatzrähmchen, die nicht zu vergessen, immer über einem Absperrgitter sind, werden so rasch und so fleißig ausgebaut, daß es mich trotz meiner über vierzigjährigen Tätigkeit als Imker immer noch beglückt. Hier erfährt man genau, was der Bautrieb der Buckfastbiene vermag.

Ich stelle in manchen Jahren fest, daß die Baufreudigkeit der Buckfastbiene im Aufsatz die im Brutnest bremst. Deshalb versuche ich zu verhindern, daß die Bienen nicht auf zwei Etagen bauen müssen.

Ohne Tracht ist die Baufreudigkeit bei der Buckfastbiene wie bei anderen Rassen sehr gering oder sie fehlt völlig. 1980 haben mehrere Völker während der Rapsernte zwei Aufsätze (20 Waben) ohne weiteres ausgebaut und trotzdem die besten Ernteergebnisse erzielt.

Der Untersatz wird immer mit ausgebauten Waben ausstaffiert, denn die Bienen bauen dort nur ungern, d.h. nur, wenn der Brutraum und die Aufsätze keinerlei Gelegenheit dazu bieten.

Vorgedrahtete Mittelwände

Frage: Welche Mittelwände verwenden Sie?

Antwort: Ich verwende die vorgedrahteten, also armierten Mittelwände, die in den USA entwickelt wurden und mittlerweile überall erhältlich sind. Im Frühjahr erlaubt mir diese Art von Mittelwänden ein schnelles Montieren, verbunden mit einer sehr großen Festigkeit, und dies selbst im großen Dadantrahmen. Ein Lättchen mit drei Nägeln befestigt die vorgedrahtete Mittelwand am oberen Rähmchenschenkel, während der untere, gespaltene Schenkel mit Hilfe von 2 Schrauben die gespannte Mittelwand einklemmt.

Mein Freund Berchy aus Fénétrange hat mir mit seinen vorgedrahteten, gegossenen Mittelwänden bis jetzt das Beste geliefert, obwohl ich welche vom Hersteller aus den USA und etliche andere ausprobiert habe.

Die erste Tracht

Frage: Sie sprechen oft von Raps- und Akazientracht; wie ist diesbezüglich die Lage bei Euch?

Antwort: Wir verfügen hier in Horbourg über gute Vortrachten, dank der Ill, einem Nebenfluß des Rheins. Mit ihren akazienbepflanzten Dämmen wird hier eine kleine, unbepflanzte Zone begrenzt, in der Salweide und Wildsteinobst wachsen, welche den Bienen sehr früh den Tisch decken. Es fehlen uns aber Dauerwiesen und die Obstbäume in einer trachtmöglichen Fülle. Raps ist wohl vorhanden, aber in ungenügenden Flächen und oft zu weit von meinen Standvölkern entfernt. Das Wandern in größere Rapsanbaugebiete wird somit zur Notwendigkeit, wenn man die volle Vitalität der Völker ausnutzen will. Inzwischen besetzt jedes Volk ca. zwei Aufsätze , wobei die besten Völker einen Aufsatz bis zu 3/4 mit Honig aus frühblühendem Obst gefüllt haben. Das Wandern in den Raps ist der Start für die arbeitsreichste Periode des Imkerjahres, natürlich unter der Bedingung, daß die Tracht anläuft.

Frage: Warum sprechen Sie von einer Arbeitsspitze in diesem sonst noch ruhigen Abschnitt des Bienenjahres?

Antwort: Weil ich jegliches Schröpfen oder Teilen der Trachtvölker verweigere:

Seit dem Vereinigen der Langstrothableger mit den Dadantvölkern im September - Oktober wird alles getan, um sehr starke Völker zu haben. Mancher Imker erwartet im Raps eine kräftige Entwicklung seiner Völker. Ich hingegen komme in diese Blüte mit Kästen voller Bienen, die schon längst geschwärmt hätten, wenn sie nicht die große Schwarmträgheit der Buckfastrasse daran hindern würde. Wenn in dieser Situation der Raps ergiebig Pollen und Nektar spendet, dann platzt auch dem schwarmträgsten Volk der Kragen. Es errichtet Weiselzellen, die man einfach entfernen muß.

Das Ausbrechen der Weiselzellen

Diese Arbeit erschien mir noch vor 7 bis 8 Jahren sehr mühsam und demzufolge wollte ich Tätigkeiten dieser Art unbedingt vermeiden. Heute ist dies noch keine mühelose Arbeit, aber eine Arbeit wie jede andere:

Die Aufsätze werden abgenommen und auf die nebenstehende Beute gestellt (Viereraufstellung) oder auf eine speziell dafür vorgesehene Kiste. Motto: sowenig "schinden" wie nur möglich. Einige Rauchstöße auf das nun freiliegende Oberteil des Brutnestes treiben die Bienen nach unten. Mit dem Stockmeißel werden (wie schon beschrieben) die Waben leicht zusammengedrängt, damit die erste Wabe ohne Quetschen der Bienen gezogen werden kann. Nebenbei sei erwähnt, daß der amerikanische Stockmeißel bei weitem das idealste Werkzeug ist. Alle anderen Stockmeißel haben mich enttäuscht. Als Rauchmaterial verwende ich das APICALM-Granulat, denn 1 bis 2 Füllungen genügen für einen vollen Arbeitstag bei den Bienen. Der Rauch, der durch APICALM entsteht, ist nicht sehr aggressiv.

Bevor wir das Volk untersuchen, ist es gut, sich noch einmal das Hauptziel vor Augen zu führen:

Gewiss muß ich feststellen, ob das Volk in Ordnung ist, d.h. ob die Brut normal gestaltet ist, ob ausreichende Reserven vorhanden sind, ob Altwaben zu ersetzen sind usw. usw... Aber vor allem muß gesehen werden, ob keine Schwarmvorbereitung im Gange ist, die sich durch Weiselzellen bemerkbar macht. Denn diese müssen ausnahmslos weggenommen werden.

Frage: Wie ist zu verhindern, daß Weiselzellen in diesen über-starken Völkern übersehen werden? Das erscheint mir nicht ganz einfach!

Das Abschütteln der Bienen

Antwort: Es ist durch ein einfaches Abschütteln der Bienen zu verhindern, bevor man die Waben ganz aus dem Stock nimmt. Somit kann der Imker die Zellen gut auf der Wabe erkennen und ausbrechen. Mit ein wenig Erfahrung weiß man bald, ob man nach dem Ziehen von 5 bis 6 Waben weiter nach Zellen suchen soll, wenn bis dahin keine vorhanden waren. Der Vorteil der großen Dadantwaben springt hier in die Augen. Nur 12 Waben sind zu untersuchen (öfters aber weniger), um das größte Volk gründlich zu kontrollieren. Entgegen allgemeiner Erwartung sieht man auf diesen großen Waben eine Zelle gut, wenn nicht sogar besser als auf einer kleinen Wabe. Die heiklen Stellen zwischen Unterteil der Wabe und Rähmchenlatte sind besonders gut zu untersuchen. Darum ist es von Vorteil, wenig solcher Ecken und Nischen untersuchen zu müssen, denn dort liegt der Grund für den Zeitverlust, den kleine Waben mit sich bringen. Daß ich trotz aller Übung eine 12er Langstroth- oder Zanderbeute nicht schneller untersuche, beweist das oben Gesagte.

Frage: Ich sehe hier 2 Probleme:

1) Ein energisches Abschütteln bewirkt bei voller Tracht ein nicht unbeachtliches Verkleben der Beute und Bienen durch den flüssigen Nektar, der schon beim geringsten Schlag aus der Wabe spritzt!

2) Trotz allem Abschütteln und guter Nachschau wird immer wieder eine Zelle vergessen und der Schwarm geht ab! Was sagen Sie dazu?

APICALM

Antwort: Es kann nicht geleugnet werden, daß die Tracht eine Durchschau erschwert. In einem mittelstarken Volk sollte die Tracht nach allgemeiner Lehrmeinung wie eine Art Bremse auf den Schwarmtrieb wirken und diesen sogar total verschwinden lassen. Im Schwarmmonat Mai ist im Großvolk mit F1 Buckfastkönigin in der Rapstracht wegen der massiven Pollen- und Honigzunahme keine Schwarmdämpfung zu verzeichnen. Demzufolge muß eben auch hier das Volk genauestens untersucht werden.

Sofort möchte ich betonen, wie wichtig mir in diesen Momenten der Untersatz erscheint, der den abspritzenden Nektar auffängt und es den Bienen erlaubt, ihn sofort wieder aufzunehmen. Dies bewirkt eine Art Beschäftigung der Biene, die sich auf das Verhalten des Volkes beruhigend auswirkt (also alles nur nichts Schlimmes).

Weniger angenehm ist, daß der Imker bei dieser Tätigkeit verklebte Finger bekommt, die bei den Notizen, die nach jeder Volksnachschau gemacht werden müssen, ein Händewaschen notwendig machen. Ein kleiner Wassereimer und ein Handtuch gehören dann noch zusätzlich zur üblichen Imkerausrüstung.

Die vergessene Weiselzelle und als Folge der Schwarm sind selten, d.h., daß mir dies das letzte Mal vor 3 Jahren vorgekommen ist. Jedoch sind bei mir die Kontrollbedingungen durch oft anwesende Imkerfreunde, die noch mitlernen wollen, die besten. Wie Löwen stürzen sie sich auf die von mir vergessenen Zellen. Besuch an meinem Stande heißt positiv mithelfen. Reine Zuschauer sind störend und unerwünscht.

Jedoch angenommen, eine Zelle wird vergessen, die Altkönigin fliegt aus, fällt zu Boden und kehrt, wie wir schon gesehen haben, übers Anflugbrett in ihren Stock zurück. Hier habe ich zwei Möglichkeiten beobachtet:

a) Die Zellen werden ausgebissen und ein momentanes Schwärmen (jedoch nicht der gesamte Schwarmtrieb) fällt aus. Die Bienen haben meine schlechte Arbeit verbessert! Dies mag wie ein dummer Imkerwitz klingen, der der Buckfastbiene ein zweifelhaftes Lob der Schwarmträgheit, hier Schwarmklugheit, entgegen bringen möchte. Der Wahrheit zuliebe muß alles gesagt werden, selbst wenn es für etliche Imker unglaublich erscheinen mag. Die Buckfast scheint manchmal eine Art Spiel mit den Zellen zu treiben. Im letzten Moment verschwinden diese. Oft schon habe ich willentlich Zellen in Völkern nahe unserer Wohnung belassen und beobachtet, daß diese, insbesondere gegen Ende der Schwarmperiode, wieder beseitigt werden.

b) Das Volk läßt die Zellen und am Tag darauf fliegt die Königin aus und kehrt wieder zurück. Dies kann mehrmals möglich sein. Jedoch, da die Nachschau alle 7 Tage geschieht, kann man davon ausgehen, daß der Imker bei der nächsten Nachschau diese Schwarmzellen ausbricht und somit das Volk wieder auf seine guten Geleise bringt. Ich möchte von einer oft empfohlenen Nachschau im Rhythmus von 10 Tagen warnen. Das Risiko ist zu groß, weil hier eben vergessene Zellen nicht wieder aufgefangen werden können.

Hinzufügen sollte man noch, daß die Buckfastköniginnen bei der Verdeckelung der Schwarmzellen nicht gleich ausziehen. Wäre dies der Fall, so hätten in den letzten Jahren (nicht 1986) 3/4 meiner Völker geschwärmt. Ich beobachtete, daß die alte Königin der F1 Buckfast bis auf den letzten Moment mit dem Schwärmen wartet.

1979 konnte ich um 9 Uhr morgens eine F1 Buckfastkönigin in Eilage beobachten. Um 13 Uhr schwärmte dieses Volk, weil ich eine überreife Zelle in der Hast übersehen hatte. Dies heißt, daß die Buckfastkönigin kein Schwarmfieber hat. Sie stellt die Eilage bei Beginn der Schwarmvorbereitung im Gegensatz zu schwarmfreudigen Rassen nicht ein. Bei diesen Rassen hilft das Ausbrechen der Zellen nicht. Ich würde sogar behaupten, es zieht das Schwarmfieber nur unnütz in die Länge und mindert den Arbeitsgeist, also letztlich den Ertrag des Volkes gewaltig.

Frage: Sie stellen hübsche Theorien über den empfindlichen Organismus des Bienenvolkes auf. Erlauben Sie mir zu sagen, daß Ihre Methode des Abschlagens der Bienen zur Schwarmzellenkontrolle nicht in den Rahmen der Sache passt!

Antwort: Ich behaupte nicht, daß das Abschütteln einer biologischen Notwendigkeit des Volkes entspricht. Andererseits bin ich in der Praxis gezwungen, festzustellen, was mir das Allerwichtigste ist. Die Sanftmut der Rasse erlaubt ein Abschütteln, ohne daß es auf kürzere oder längere Sicht Nachteile mit sich bringt.

Zudem scheinen auch die großen Brutflächen dieser Rasse ein Abschütteln zu erleichtern. Der Untersatz erweitert die schon erwähnte Aufnahmemöglichkeit der abgeschüttelten Bienen, die sofort auf die zurückgegebenen Waben aufsteigen, um die Brut ohne merkliche Agressivität weiterzupflegen. Ist es eine Illusion, daß mir die Bienen im ungeteilten Brutnest friedlicher erscheinen? Schwer zu sagen und zu beweisen! Mir scheint, daß es in anderen Magazinbeuten nicht so friedlich zugeht (mein Imkerfreund Bösl jedoch teilt diese Meinung nicht. Er glaubt eher, daß das Schwarmverhalten anderer Rassen, die ja meist in anderen Beuten sitzen, der Hauptgrund der Sache ist). Das erklärt vielleicht, warum das Zellenbrechen in diesen Beuten oft durch Schröpfsysteme, Zwischenableger usw. ersetzt werden. Daß aber solche Eingriffe enorme biologische und wirtschaftliche Folgen haben, muß hervorgehoben werden. Da scheint mir doch das Abschütteln das geringere Übel zu sein. Wichtig ist mir schließlich, daß die abgeschüttelte Wabe von den Bienen so schnell wie möglich wieder betreut werden muß, was im Dadant mit seinen 12 Waben leicht möglich ist.

Ein Imkerfreund, der versuchsweise die Tellbiene eingeführt hatte, sagte mir, daß ein Abschütteln der Wabe mit solchen stechwütigen Bienen völlig undenkbar sei, selbst im Dadantkasten.

Die Intensität einer Störung bei einem Volke hängt also von folgenden ausschlaggebenden Faktoren ab:

1) Die Art und Weise, wie es getan wird.

2) Die Dauer und Haüfigkeit des Eingriffes (je kürzer desto besser). Nach den Beobachtungen Bruder ADAMS fördern lange und häufige Eingriffe die Schwarmlust.

3) Die zur Verfügung stehende Bienenmasse, die den Eingriff besser verdaut, wenn sie möglichst groß ist.

Frage: Das Abstoßen der Waben ist jedoch beileibe nichts Neues in der Imkerei. Von jeher wurden Bienen z. B. vor das Flugloch geschüttet oder gefegt.

Antwort: Ich möchte dem nur hinzufügen, daß ein Abschütteln von Bienen vor das Flugloch nur mit einem bis auf den Boden gehenden Flugbrett geschehen sollte, weil nur so die am Flügel gestutzte Königin zu Fuß in den Stock zurückgehen kann, ist sie doch mit großer Wahrscheinlichkeit bei den abgeschüttelten Bienen.

Frage: Wie lange und in welchem zeitlichen Rhythmus werden die Zellen gebrochen?

Antwort: Theoretisch alle 10 Tage. Praktisch alle 7 bis 8 Tage. Hier im Elsaß zeigt es sich, daß bei normaler Rapstracht 3 Wochen hintereinander zumindest bei den F1 Völkern die Zellen gebrochen werden müssen.

Die F1 Königinnen

Frage: Warum unterstreichen Sie immer wieder die F1 Völker?

Antwort: Weil eben bemerkenswerte Differenzen zwischen ihnen und reinen Buckfastvölkern zutage treten können, je nach den Erbanlagen der vorkommenden Landrasse. So kommt es, daß man dann plötzlich an seinen Bienen nicht die von Bruder ADAM gepriesene große Schwarmträgheit der Buckfastrasse vorfindet. Etliche Großimkereien, die Dank guter Insel- oder Gebirgsbelegstellen reine Nachzuchten besitzen, kennen diesbezüglich keine Probleme.

Ein Hauptzweck dieses Buches ist es jedoch, dem Imker zu helfen, kleine Fehler zu verhüten, wenn er mit der Buckfast einen Versuch wagen will. Wenn dieser Imker in seiner Umgebung nachzüchtet, hat er aber wenig Chancen (in Deutschland aber immer mehr), daß seine Nachzuchtköniginnen von Buckfastdrohnen begattet werden. Demzufolge muß er eben mit F1 Buckfast arbeiten.

In meinem Falle war ich und bin es noch zum Teil, ohne Belegstelle und habe eben, wie die meisten, meine Erfahrungen mit F1 Buckfast machen müssen. Eine gezielte Drohnenzucht bringt aber auch hier Lösungen, von denen noch die Rede sein wird.

Wissen muß man nur, daß die F1 mehr Schwarmzellen ansetzt, etwas weniger wabenfest und sanft, aber volksstärker als die reine Buckfast ist.

Frage: Wie steht es mit dem Zellenbrechen bei Bruder ADAM?

Antwort: Bruder ADAM bricht höchstens ein bis zweimal Zellen, denn eine dritte Errichtung von Schwarmzellen wäre ein zu großes untolerierbares Zeichen von Schwarmtrieb, den er in keinem Fall in der Norm seines Stammes annimmt. Deshalb werden diese Königinnen entfernt.

Anzumerken ist, daß die Völker von Bruder ADAM meistens keine Zellen haben, denn wie gesagt sind es unverstärkte reine Buckfastvölker, die in einer Kleetracht in England, und nicht in einer Rapstracht stehen. Die Imkerei Fehrenbach in Deutschland hingegen, die mit eigener Belegstelle arbeitet, hat wenig Schwarmzellen zu verzeichnen, obwohl in diesem Falle verstärkt wird.

Hier im Elsaß, wo die Rapstracht Anfang Mai beginnt und sich manchmal ein sehr starkes Honigen einstellt (wie 1985), erscheinen die Zellen wie ein unbestreitbares Vitalitätszeugnis. Dies hat auf keinen Fall etwas mit Schwarmlust gemeinhin zu tun, denn lange bevor 10 bis 11 Dadantbrutwaben besetzt sind, haben die Landrassen schon geschwärmt. Diesbezügliche Versuche mit den besten Carnicastämmen ergaben den klaren Beweis.

Betonen muß ich aber, daß nur die ganz starken F1 Buckfastvölker Zellen ziehen. Schwächere oder nicht verstärkte Völker, die über Platz zum Bauen und Brüten verfügen, ziehen unter diesen Bedingungen praktisch keine Zellen. Mit F2, F3, F4 etc... Völkern wächst der Schwarmtrieb progressiv, wenn nicht Buckfastdrohnen diesem Anstieg des Schwarmtriebes mit ihrem Erbgut unverhofft entgegenwirken.

1981 erlaubte der kalte Frühling nur eine geringe Ernte. Kein Volk hatte Zellen gezogen und bestiftet, obwohl die zwei Aufsätze besetzt waren (damals war jedoch noch kein Untersatz vorhanden). Anfangs Juli hingegen, als endlich schönes Wetter eintrat und die Edelkastanie stark blühte, viel Nektar und noch mehr Pollen spendete, waren in meinen Völkern plötzlich Zellen, die sie während einer Periode von 2 bis 3 Wochen errichteten.

1986 waren im allgemeinen nur bei den allerstärksten Völkern hin und wieder einige Näpfchen bestiftet. Im Laufe des Jahres zeigte sich dann keinerlei Schwarmtrieb mehr.

Das Jahr 1987 gilt hier im Elsaß und auch in ganz Frankreich als das verrückteste Schwarmjahr, an das man sich erinnern kann. Meine verstärkten sowie die unverstärkten Buckfastvölker waren jedoch in ihrem Schwarmverhalten eher schwarmträger (laut meinen Notizen), als die der anderen Jahre. Dieses Abflauen der Schwarmneigung liegt sicher an den relativ reinen Begattungsergebnissen, die wir im Vorjahr erreichten.

1980 - 1982 - 1983 - 1984 fiel die "Zellenkrise" genau in die Rapstracht. Bei der nachfolgenden Akazientracht verschwanden die Schwarmzellen. 1985 hingegen war für mich ein verrücktes Jahr. Die Rapsernte, sowie die Tannenhonigernte schlugen mit der "Zellenernte" alle Rekorde. Meine Völker waren 1985 aber auch das Schönste, was ich je gesehen hatte. Ein Berufsimker mit 600 Völkern beichtete mir nachträglich, daß ich ihm ungewollt, wie man hier sagt, den Boden unter den Füßen weggenommen hätte, als er im Frühjahr meine Völker besuchte. Im Winter 1985/86 hingegen, war die Sache weniger glorreich, obwohl ich keine Völkerverluste zu beklagen hatte.

Qualität der Jungköniginnen

Frage: Was wird nach dieser ersten Arbeitsspitze unternommen?

Antwort: Unweit meiner Wohnung liegt der Vermehrungsstand. Hier befinden sich die Jungvölker, die zum Teil erstellt sind oder noch erstellt werden müssen. Die Zucht verursacht eine nicht zu unterschätzende Arbeit.Sie nimmt mir dann die ganze Zeit, denn hier stelle ich größte Ansprüche.

Bei den Königinnen ist mir nichts gut genug. Immer habe ich den Eindruck, daß ich noch große Fortschritte zu machen habe, selbst wenn meine Königinnen den Neid meiner tüchtigsten Imkerfreunde hervorrufen.

Als ich Bruder ADAM bei seinen Ertrags- und Zuchtvölkern am Werk sah, wie ernst, organisiert und peinlich er alles tat, erklärte ich mir dies als eine typische Eigenschaft der Benediktinermönche. Das Jahr 1978 sollte aber mein Urteil über die peinliche Pflege der Zucht ändern. In diesem Jahr konnte ich endlich meine Völker von Hohenheimer Zanderbeuten in 12er Dadantbeuten umsetzen. Ich konnte dabei Königinnen beobachten, die unfähig wurden, ihre Arbeit weiter zu leisten. Schließlich verschwanden sie.

Weil ich nichts besseres wußte, schob ich den Fehler auf die erbliche Streuung dieser Geschwisterköniginnen, denn logischerweise waren sie ja nicht von denselben Drohnen befruchtet worden. Dies war gute Imkerlogik und brachte eine befriedigende Antwort. Doch gegen meine schönen Theorien sprachen die Notizen. Schon damals zeichnete ich den Ursprung jeder Königin, sowie die Bedingungen, in denen sie gezogen worden war, auf. Mit wenigen Ausnahmen jedoch stammten die schlechten Königinnen von Zuchten, in denen nicht alles optimal gewesen war: In der Stimmung des Zuchtvolkes hatte einfach irgend etwas nicht gestimmt. Oft verraten vielerlei Einzelheiten, ja Kleinigkeiten, eine nicht nach strengsten Maßstäben geführte Zucht: schwache Annahmequote, kleine Zellen, andere verkrümmt...

Je mehr ich die Königinnenzucht mit peinlichster Genauigkeit betreibe, desto weniger Verluste erleide ich und um so mehr verbessern sich meine Erntedurchschnitte. Eine Königin von zweifelhafter Qualität hat vielleicht trotzdem in einer kleinen oder mittleren Beute Überlebenschancen. Dies bewegt dann viele Imker, in den fehlenden Blüten, im unsicheren Klima oder anderen mysteriösen Ursachen, den Grund für schlechte Erfolge zu suchen. Jedoch kann eine Königin erst dann als erstklassig betrachtet werden, wenn sie in erstklassigen Bedingungen ihren Wert beweist. Darum offenbart die großräumige Dadantbeute die wirklichen Eigenschaften der Königin. Bruder ADAM wird nicht müde, dies zu wiederholen!

Wenn man aber noch dazu die Schwierigkeiten der Prüfung durch eine Verstärkung steigert, dann sind alle Möglichkeiten vereinigt, daß eine Königin auf "vollen Touren" marschieren kann, unter der Bedingung, dies sei nochmals wiederholt, daß sie ohne jeglichen Fehler ist.

Somit hoffe ich, daß ich diese Sache stark genug betont habe, damit die Botschaft gehört wird. Denn etliche bezeichnen sie mit Recht als das "Geheimnis" von Bruder ADAM.

Zuchtmethoden

Frage: Erklären Sie uns bitte Ihre Methode der Königinnenzucht. Verwenden Sie dasselbe System wie Bruder ADAM?

Antwort: Die Zuchtmethode von Bruder ADAM ist zum Bilde seiner ganzen Imkerei und, es muß gesagt werden, seiner außerordentlichen Persönlichkeit geworden. Sein Ziel ist eine absolute Qualität der Königinnen. Er wohnt im Südwesten von England. Dort sind die Wetterbedingungen nur während einer kurzen Periode für den so wichtigen Begattungsflug gut. Seine Zuchtmethode trägt diesen beiden Bedingungen

(Qualität, schönes Wetter) voll Rechnung. Das zwingt Bruder ADAM, eine große Menge von Völkern zu mobilisieren, um etwa 25 Zuchtserien zu starten. In diesen findet man seine sämtlichen Linien, Kreuzungen und Kombinationszuchten vor.

Der Kleinimker hat nicht solch ein großes Zuchtprogramm. Meistens verfügt er auch längere Zeit über gutes Wetter. Seine Sorge ist es, bestmögliche Königinnen von einer bewährten Mutter nachzuziehen.

Als Auftakt ist es aber gut, das System von Bruder ADAM genau zu erfassen. Wir werden es gründlich (Punkt für Punkt) durchnehmen, denn die Erfahrung hat gelehrt, daß es im Buch "Meine Betriebsweise"* nicht immer richtig verstanden wird.

Das Zuchtsystem von Bruder ADAM

Um von einem Pflegevolk 50 bis 60 Zellen zu erhalten, die bestens gepflegt werden, ergreift Bruder ADAM folgende Maßnahmen:

1) Ein starkes weiselrichtiges Dadantvolk (A), das mindestens 10 Brutwaben besetzt, bekommt über ein Absperrgitter ein Magazin mit Brutwaben und Bienen ohne Königin (B) aufgesetzt. Im letzten befinden sich zwei Waben mit Honig und höchstens 10 Brutwaben, die soweit wie möglich verdeckelt sein sollen. Bruder ADAM sammelt diese Brutwaben aus anderen Völkern. Bemerkenswert ist, daß die zukünftige Aufzuchteinheit vorübergehend 20 Dadantbrutwaben (!) besitzt.

2) Ist keine Tracht vorhanden, wird mit Honig gereizt, der nicht mit mehr als 1/3 Wasser verdünnt werden soll.

---

* Ehrenwirth Verlag

3) 10 Tage später werden im oberen Volksteil (B), der ja keine Königin hat, sämtliche wilden Weiselzellen gebrochen. Dies bewirkt Schwarmvorbereitung in der unteren Beute (A) mit ihrer Königin und frischer Brut.

4) Nochmals 3 Tage später ist die Pflegeeinheit im idealen Zustand, um eine Zucht aufzunehmen. Um etwa 10 Uhr morgens, wird die obere Dadantbeute (B) an den Platz der unteren Dadantbeute (A) auf das Bodenbrett gestellt, letztere (A) wird daneben gestellt.

5) In der soeben weggestellten Beute (A), wird die Königin gesucht und provisorisch eingekäfigt.

6) Somit ist es in aller Sicherheit möglich, die Bienen (aus A) von 6 bis 8 offenen Brutwaben in die auf dem Bodenbrett stehende Beute (B) zu fegen. Wurde die Königin nicht gefunden, läßt man die Bienen über das Anflugbrett durch ein Absperrgitter vor dem Flugloch zulaufen.

7) Zwei Stunden danach werden 60 frisch belarvte Näpfchen in die Zuchtbeute (B) an den Platz der Brutwabe gebracht, die am wenigsten Brut enthält.

8) Diese Völker kommen auf ihren vormaligen Platz zurück. Die Pflegevölker werden nach der Verschulung der reifen Weiselzellen zur Verstärkung der Ableger oder Drohnenvölker verwendet, oder schwachen Völkern zugegeben.

Diese Methode wird wie gesagt, selten vom Kleinimker verwendet. Sie soll hier als Grundmodell dienen, denn alle Bedingungen eines guten Zuchtvolkes finden wir darin vereinigt und sie gibt uns Gewähr für Königinnen bester Qualität, wie sie in einer intensiv und rentabel geführten Imkerei unbedingt gebraucht werden.

Frage: Welche Kriterien sind entscheidend für eine optimale Zucht?

Antwort: An vorderster Stelle steht die Schwarmstimmung, die in der Natur die zahlreichsten und schönsten Zellen liefert. Ohne Schwarmstimmung ist die Annahme schlecht, ebenso die gleichmäßige, ausgiebige Fütterung der Maden. Sicher sind stille Umweiselungszellen die größten, die man antreffen kann, aber die Schwarmzellen, besser gesagt die Zuchtzellen, in guter Schwarmstimmung gepflegt, stehen ihnen in nichts nach, zumal stille Umweiselungszellen oft nur in ganz geringer Zahl vorgefunden werden und genetisch gesehen zweifelsohne minderwertig sind. Eine leichte Tracht, - wenn es sein muß, künstlich ausgelöst, - dient zwar eher der Stimmung des Zuchtvolkes und wirkt nur indirekt auf die Zuchtzellen, aber sie ist notwendig, trotz gegenteiliger Aussagen in wissenschaftlichen Versuchen. Schon 5 Tage zuvor sowie während dem Bau der Weiselzellen, müssen die Pflegevölker ständig gefüttert werden, falls keine Tracht besteht. **Die Reizfütterung ist äußerst wichtig!** Nie konnte ich Gleichwertiges, und sei es nur im Verhalten des Zuchtvolkes erreichen, wenn ich nicht fütterte. Ich mußte hier lernen, hin und wieder an eigene Erfahrung und Versuche zu glauben, selbst wenn, wie gesagt, alles bestens untermauert schien.

- Die Ammenbienenmasse bewirkt die sofortige Annahme des eingebrachten Zuchtstoffes, da die Pflegebienen nirgends ihren Futtersaft loswerden können. Die Weiselnäpfchen werden eben dem Volk zugeführt, bevor die Ammenbienen die Futtersaftproduktion ihrer Drüsen mangels Abnahme einstellen.

- Eine große Masse Bienen ist zusammengedrängt, sodaß man sich frägt, wie sie Platz in der Beute findet. Dies ist einer der allerwichtigsten Faktoren. Diese Erkenntnisse verdanke ich Dr. Weiß

Frage: Welche Nachteile hat diese nicht landläufige Zuchtmethode?

Antwort: Brutal ausgedrückt sein Gestehungspreis!

Ein professioneller Zuchtbetrieb, der mit dieser Methode arbeiten würde, müßte den üblichen Königinnenpreis verdoppeln, wenn er bei seinen Gewinnspannen bleiben wollte. Jedoch angesichts der gewaltigen Vorteile, die dieses System für Bruder ADAM in seiner speziellen Lage mit sich bringt, ist es rundweg die beste und rentabelste Lösung.

Frage: Was empfehlen Sie dem gewöhnlichen Imker, um gute Königinnen züchten zu können?

Aufzuchtmethode für Kleinimker

Antwort: Ich verwende je nach Sachlage verschiedene Aufzuchtmethoden. Eine Methode besteht darin, daß man ein Langstrothvolk verwendet, das in voller Entfaltung ist. Die Wabe mit der Königin wird dem Volk entnommen und woanders unter-gebracht. Von einem ebenso vitalen Volk entnimmt man die Bienen von 2 bis 3 offenen, gut besetzten Brutwaben, natürlich ohne Königin, und fegt sie dem Pflegevolk zu. 2 bis 4 Stunden später (besser 4 Stunden), je nach Stimmung, bekommt dieses Volk 30 bis höchstens 40 belarvte Näpfchen. Die Zucht wird als gut betrachtet, wenn 20 bis 25 Zellen angenommen sind. Zweifelhaftes wird zerstört. Es ist jedoch ein schlechtes Zeugnis der Zuchtstimmung, wenn viele Zellen nicht angenommen oder unschön sind. Nach der Verdeckelung der Zellen wird das Volk untersucht, Wabe für Wabe, damit jede wilde Zelle ausgebrochen werden kann. Daß in diesem Falle die Waben gründlich abgeschüttelt werden, braucht nicht mehr besonders betont zu werden. Wurde das Volk gut gereizt, so kann man jetzt eine zweite Zuchtserie einsetzen. Die Näpfchenzahl sollte aber halbiert werden, damit die Qualität der Zucht bestehen bleibt. Wird die Zucht im Bienenhaus durchgeführt, so bekommt das Flugloch ein Absperrgitter vorgesetzt, damit nicht eine unbefruchtete, verirrte Königin in das Zuchtvolk einfliegt und sämtliche Zellen zerstört.

Diese einfache Zuchtmethode, die ich meinem Freund Günther Ries abgeschaut habe, braucht aber, wie es Dr. Weiss betont hat, einen engen Sitz der Bienen in der Beute und einen beachtlichen Prozentsatz

Ammenbienen. Im Frühjahr sollte dies meist der Fall sein. Eine kleine Zahl Königinnen von guter Qualität ist kein Unglück. Eine große Zahl schlechter hingegen ist ein totaler Fehlschlag.

Wenn ich zeitlich unter Druck bin und kein Risiko eingehen möchte, nehme ich dem Aufzuchtvolk nicht nur die Königin, sondern alle offene Brut weg. Um die Bienen zusammenzudrängen, also Platzmangel zu schaffen, wird eine doppelte Futtertasche eingehängt. Eine Jungbienenbeigabe, sowie Honig-Pollenwaben sind selbstverständlich.

Versuche mit BUTIREVE 80 als Reizfutter (ein proteinhaltiges Sommerfuttermittel, ähnlich dem BUTISTAR 75, jedoch mit Proteinzugabe) haben gute Zuchtresultate ergeben. Jedoch möchte ich da niemanden verleiden, denn solche Versuche müssen noch und noch geprüft werden. Bis auf weiteres bleibt verdünnter Honig (nicht mehr als 1/3 Wasser verwenden, wegen der Gährungsgefahr!) das Beste.

Eine zweite Zuchtserie ist mit obiger Methode nur anzuraten, wenn viele verdeckelte Brutwaben belassen wurden, die mittlerweile geschlüpft sind.

Gute Zuchtbücher können hier noch viele mannigfaltige Zuchtmethoden vorschlagen, jedoch darf von den großen Prinzipien, die anfänglich angegeben wurden, nicht abgewichen werden.

Andere Zuchtmethoden

Frage: Verwenden Sie das so gerühmte Startersystem nicht?

Antwort: Alle Systeme sind mir recht, wenn sie beweisen, daß die Königinnen, die gezüchtet werden, nachträglich im 12er Dadant voll zufriedenstellend sind. Daß es aber Zuchtmethoden gibt, die so etwas wie einen künstlichen Druck auf das Pflegevolk ausüben und nicht einer

Vitalitätsbekundung entspringen, stört mich, weil eben hinterher die Königinnen das nicht aushalten, was man von ihnen im Großvolk erwartet. Eine werdende Königin muß von der ersten Stunde an im Überfluß leben. Alles was nicht mit dem absoluten Interesse dieser werdenden Königin übereinstimmt, offenbart sich im nächsten Jahr im Ertragsvolk und wird bestraft. Eine große Ernte hat eben diese Voraussetzungen!

Die Näpfchen

Frage: Welche Näpfchen verwenden Sie?

Antwort: Jahrelang haben mich die Kunststoffnäpfchen skeptisch gestimmt. Als meine Freunde sowie die Wissenschaft die Sache befürworteten, ließ ich mich zu Versuchen verleiten, die damals klar bewiesen, daß das amerikanische Näpfchen trotz seiner groben Anfertigung allen überlegen war (auch meinen selbstangefertigten Kunststoffnäpfchen!). Mein Mißtrauen verschwand, als ich beobachtete, daß die Königin im Volk vergessene Kunststoffnäpfchen wie natürliche Näpfchen bestiftete. Demzufolge war ich reif, das Jentersystem anzunehmen, als mir dies Herr Jenter vorführte. Das Umlarven - in Frankreich nennen wir es nach dem amerikanischen Begriff "Picking" - ist und bleibt jedoch die schnellste Methode, um einem Volk Zuchtstoff zu entnehmen. Jedoch die Tatsache, daß die im Jenter-Rähmchen gezogene Larve nicht berührt wird und im Futtersaft bleibt, scheint mir ein wichtiges Glied in der Qualitätskette zu sein, die zu wertvollen Königinnen führt, wie sie in der 12er Dadantbeute gebraucht werden.

Es war sicher kein Zufall, daß die erste Zuchtserie, die ich mit dem Jentersystem unternommen hatte, 48 prachtvolle Zellen vorwies (siehe Foto am Ende des Buches). Meine Aufzeichnungen bewiesen mir auch, daß die Königinnen aus dem Jentersystem zu den allerbesten gehören. Zudem ist dieses System für Imker mit nachlassendem Augenlicht nur zu empfehlen. Das Umlarven wird ein Spiel, das jeder machen kann. Jenter hat im Umlarven die Demokratie eingeführt!

Frage: Sie larven also nicht mehr um?

Antwort: Wie schon erwähnt, habe ich mich mehr und mehr dem Jenterverfahren verschrieben. Höchstens aus Zeitmangel, wende ich mich manchmal dem Umlarven zu. Herr Noel vom Rucher Mosan in Belgien schenkte mir einen Umlarvlöffel, der von einem in der Schweiz wohnenden Herr Guillaume stammt. Mißtrauisch gegen dies edelmetallische Instrument, unternahm ich einen Versuch, mit dem Hintergedanken, daß mein Imkermuseum, bestehend aus unbenutzten und unbenutzbaren Geräten, in den nächsten Minuten um ein weiteres bereichert sein würde.

Meine Verwunderung war jedoch groß, als ich schon beim ersten Versuch die Made mit Leichtigkeit auf den perfekt polierten Löffel bekam und genauso leicht vom Löffel in das Näpfchen legen konnte. Seitdem verwende ich zum Umlarven diesen ungemein praktischen und mit schweizerischer Perfektion hergestellten Umlarvlöffel. Beizufügen ist noch, daß Herr Guillaume ein ebenso perfektes Besamungsgerät herstellt, das auch einem mittelbegabten Imker, dank spezieller Vorrichtungen, die Handbesamung erlaubt. Herr Guillaume ist Feinmechaniker und, unter anderem, auf chirurgische Geräte spezialisiert und, Gott sei Dank, ein begeisterter Imker. Dies erklärt vieles!

Frage: Ein interessantes Gebiet, die Königinnenaufzucht, aber viele Veröffentlichungen bringen hier alles Wissenswerte. Was tun Sie nun mit den schlupfreifen Zellen?

Maßnahmen beim Schlüpfen der Königin

Antwort: Das Ideal besteht darin, wie schon gesagt, daß man die reifen Zellen in Dreiwabenableger verschulen kann. Aber wenn man eine Überzahl an Zellen hat, gibt es hier oft Probleme.

Jahrelang habe ich das Begattungskästchen verworfen, denn es erschien mir ein schwaches Glied in der Zucht zu sein. Was ich bei befreundeten Imkern mit dem EWK (Einwabenkästchen) feststellen konnte, hat mich überzeugt, daß hier eine biologische Lücke besteht, die vermieden werden müßte. Ich vermute, daß man den Carnicazüchtern mit dem EWK einen sehr schlechten Dienst erwiesen hat.

Vor 30 Jahren machte ich Versuche mit dem österreichischen Jordankästchen, das besser, aber immer noch nicht optimal war.

Die Versuche mit dem Niestetaler Kästchen hingegen waren sofort überzeugend. Dank der Aufzeichnungen, stellte ich hier keine Differenz mit guten Ablegerköniginnen fest. Ja, etliche meiner Siegerköniginnen entstammten diesen Begattungskästchen. Sein Zweck erfüllt es aber eher bei dem Kleinimker, der sich nicht viel Vorarbeiten machen will, und auch nicht mehrere, aufeinanderfolgende Zuchten verschulen muß.

Die einstweilig beste Lösung ist das APIDEA Begattungskästchen, das außer etlichen Kleinigkeiten ein biologisch angepasstes, rationelles Kästchen ist, das den Bedürfnissen der kleinen Bienentrauben entgegenkommt. Es beinhaltet die meisten Vorteile der vorher angegebenen Modelle. Das geschäumte Polystrol (aber mit hohem spezifischem Gewicht, ca. 100 kg/m^3) mit seinem großen Wärmekoeffizienten ist dabei der Schlüssel des Erfolgs. Alle beinhalten mindestens 3 Waben und bieten somit der jungen Königin die besten Bedingungen.

Es gehört jedoch zu den imkerlichen Selbstverständlichkeiten, daß eine in Eilage gegangene Königin sobald als möglich aus dem Begattungskästchen genommen werden muß, um nicht eine bleibende Einbuße der Fruchtbarkeit zu bewirken.

Frage: Was halten Sie von gekauften Jungköniginnen und speziell von Buckfastköniginnen?

Antwort: Bis 1986 haben meine Frau und ich den Verkauf der Buckfastköniginnen in Frankreich durchgeführt und können darum behaupten, daß wir eine gewisse Einsicht in dieses Problem bekommen haben.

Es ist leicht zu behaupten, daß alle Königinnen von Großzüchtern zweite Wahl sind, oder umgekehrt, daß es die Imkerkunden sind, welche dieselben Königinnen systematisch verderben. Die Wahrheit liegt dazwischen.

Geben wir jedoch zu, daß ein Berufszüchter nicht die oft große Qualität seiner Königinnen garantieren kann, wenn er seinen Alltag fristen will. Zudem wären, wie schon gesagt, die Imker nicht bereit, den richtigen Preis für eine garantiert tadellose Königin zu bezahlen.

Soviel ich festgestellt habe, sind momentan alle im Handel angebotenen Königinnen von durchschnittlich annehmbarer Qualität, wenn man die Bedingungen kennt, in denen sie im großen erzüchtet wurden. Wo ich jedoch Zweifel hege, ist die reelle, tiefgehende Zucht und Auslese, die von Bescheinigungen und anderen "wertvollen" Papieren angepriesen wird. Natürlich spreche ich hier nicht von der reell schönen gelben, schwarzen oder grauen Farbe jener Rasse, auch nicht von der Farbe und Breite der Filzbinden, sondern vom guten, nüchternen Ertrag, mit dem alleine ein solch schönes, königliches Tier bezahlt werden kann.

Buckfastköniginnen verschiedener Herkünfte

Sicher haben Sie mitbekommen, daß Bruder ADAM in seiner klimatischen Lage beim besten Willen nur einen Teil der von ihm verlangten Königinnen züchten kann. Er hat demzufolge namhaften Züchtern von verschiedenen Ländern erlaubt, seine Rasse unter Lizenz zu züchten. So hat der größte Züchter der USA (darum auch der größte Züchter der Welt, wie könnte es auch anders sein!) die Buckfast in sein Zucht- und Verkaufsprogramm aufgenommen. Von Jahr zu Jahr sieht er seine Verkaufszahlen gegenüber der gut verbreiteten Italo-amerikanerin steigen. Dieser Züchter hat bis 1986 nach Frankreich geliefert.

Frage: Hat dieser Züchter eine Insel oder eine sichere Landbelegstelle zur Verfügung?

Antwort: Leider nicht. Er konnte somit nie eine 100% Garantie der Reinheit geben. Jedoch die Königinnen, deren italo-amerikanischer

Einfluß manchmal unbestreitbar war, erfreuen sich größter Beliebtheit, insbesondere im südlichen Teil von Frankreich.

Frage: Woran erkennt man diesen Einfluß?

Antwort: Diese Biene ist fruchtbarer, darum weniger sparsam, extrem sanftmütig, sodaß sie als sanfter wie die reinste Kaukasierin gilt; ist schneller in der Frühjahrsentwicklung, hat weniger Widerstandskraft, ist eine hervorragende Blütenbiene und ist weniger fähig, Blatthonig zu sammeln, als die echte, reine Buckfastbiene.

Die reine Buckfast

Frage: Gibt es denn Möglichkeiten, garantiert echte, reine Buckfastköniginnen zu bekommen?

Antwort: In Israel ist ein hervorragender Züchter, der jahrelang eine reine Buckfastbiene lieferte. Durch die Varroasituation kam dies leider zum Erliegen.

Frage: Wie schlagt Ihr Euch in Frankreich durch, um reine Buckfastköniginnen zu bekommen?

Antwort: Seit 1978 hat mein Freund Dominique Froux aus Chatellerault die Zucht der Buckfastköniginnen übernommen. Das Ausgangsmaterial wird ihm von Bruder ADAM geliefert. Wir sind hier in Frankreich eine weit verbreitete, ansehnliche Anzahl von Buckfastimkern. Wir haben gute Aussichten für eine Inselbelegstelle in der Nähe der Bretagne, aber unser Ziel ist es, eine Mittelmeerinsel für diesen Zweck zu bekommen. Bis jetzt ist uns dies leider noch nicht geglückt. Was den oben genannten Haupt- und Vermehrungszüchter anbelangt, hat sich dieser schon seit 3 Jahren ein Gebiet ausgesucht, in dem er alleine mit Buckfastbienen imkert. Die angrenzenden Stände sind mit Buckfastköniginnen umgeweiselt worden. Im Mai kann er sofort mit 100 Drohnenvölkern, die in der Belegstelle und im Umkreis von 3 km verteilt stehen, eine beachtliche Drohnendichte hervorbringen. Im Hochsommer stehen bis zu 500 Drohnenvölker in diesem Gebiet. Ein ähnliches Experiment mit derselben Methode hat in Frankreich gute Ergebnisse gebracht, obwohl die Vorbedingungen weit ungünstiger waren.

Frage: Wer verkauft die Buckfast in Deutschland ?

Antwort: Die Gemeinschaft der Buckfastimker kann diesbezüglich die beste Antwort erteilen. Hier ihre Adresse:

Gemeinschaft der Buckfastimker eV
Obere Weinbergstraße 28
D-3501 Ahnatal-Heckershausen

oder Herr Franz Fehrenbach, Locherhof 5 in 7980 Ravensburg. Er verkauft Königinnen (Ableger auf Bestellung), die auf eigener Gebirgsbelegstelle unter besten Bedingungen begattet werden.

Herr Fehrenbach war übrigens der erste, erfolgreiche Buckfastberufsimker der Bundesrepublik. Praktisch alle Buckfastimker, die wie ich im Verstärkungssystem arbeiten, haben diese Betriebsweise von ihm übernommen. Dank seiner Bemühungen ist die Buckfastbiene in Deutschland eingeführt und verbreitet worden. Es war auch Franz Fehrenbach, der seit 1962 Bruder ADAM mit seinem Auto auf den Erkundungsreisen zur Verfügung stand, und diese weitgehend finanzierte. Diese Tatsache scheint heutzutage im deutschen Sprachraum oft vergessen zu werden. Es ist mir deshalb ein besonderes Anliegen, dies hier hervorzuheben. Herr Franz Fehrenbach ist übrigens stellvertretender Vorsitzender der Buckfastimkergemeinschaft.

Frage: Es werden immer mehr Buckfastbienen zum Verkauf angeboten. Wie stehen Sie dazu?

Antwort: Mit Verkäufern von Buckfastbienen ist es genauso wie mit Schmuckverkäufern. Einige bieten echten Schmuck an, andere nur Imitationen. Etliche grenzen bei diesem Geschäft beinahe an Namensmißbrauch. Ein kleines Beispiel: Gute Buckfastfreunde hatten solche Wunderköniginnen gekauft und mir gezeigt. Sie waren der Farbe nach recht schön, aber leider warten meine Freunde bis heute vergebens auf ein befriedigendes Resultat. Der Preis aber war das schönste, was ich je zu hören bekam. Kommentar überflüssig!

Nicht aus Futterneid (der für mich als Ausländer sowieso nicht in Betracht kommt), nicht aus Vereinsgründen, nicht aus imkerlichen Ideologien, sondern aus Respekt vor der Zuchtarbeit von Bruder ADAM, möchte ich die Leser bitten, solchen Händlern, die die Arbeit von Bruder ADAM als Aushängeschild und ohne jegliche Garantie verwenden, keinerlei Vertrauen zu schenken. Ich sage dies im Interesse des Käufers, da ich schon viele sogenannte Buckfastvölker, die F5 oder F6 waren, zu Gesicht bekam. Außer einer kräftigen Stecherei, gleich irgendeiner Landbiene und einem stolzen Preis, war nichts Besonderes vorhanden.

Es gibt jedoch Verkäufer, die von Bruder ADAM anerkannt sind. Für mich sind es die einzigen, bei denen ich selber eine Königin kaufen würde. Wie oben schon gesagt, wird der Buckfastverein Ihnen sicher gerne die Adressen der ernsthaften Züchter mitteilen. Will man positive Resultate mit der Buckfast erzielen, ist es von außerordentlicher Bedeutung, daß man sein Zuchtmaterial von zuverlässigen Stellen bezieht.

Der Versandstress

Frage: Das Versenden ist sicher ein Stress für die Königin. Was halten Sie davon?

Antwort: Jahrelang erhielt ich Königinnen aus den USA. Weil alles bestens organisiert war, trafen diese etwa 16 Stunden später bei mir zu

Hause ein. Die Frische dieser Königinnen hat meine Kunden immer überrascht, mich aber weniger, denn ich zahlte immer das Extraporto.

Die Reise der Königin an sich ist folglich kein großes Handicap. Was mich aber eher stutzig macht, ist die brutale Unterbrechung der Eilage der Jungkönigin. Mir kommt es immer vor, wie wenn diese Unterbrechung eine Art Veralterung bewirke. Der Wiederbeginn der Eilage einer Königin, die verschickt wurde, gleicht oft der Eilage einer einjährigen oder vorjährigen Königin. Dies ist das Alter der größten Fruchtbarkeit. Der Rückgang der Langlebigkeit der gereisten Königinnen läßt vermuten, daß ich nicht sehr weit von der Wahrheit entfernt bin. Alle diese Feststellungen erlauben mir zu sagen, daß eine gekaufte Königin, gleich welcher Rasse, anders ist als eine Königin, die am Stand geboren wurde. Erstere soll sofort für das verwendet werden, wofür sie gekauft wurde. Die andere soll im Geburtsjahr geschont werden, um im Frühjahr darauf voll einsatzfähig zu sein.

Ratschläge für Königinnenkäufer

Dem Käufer einer Buckfastkönigin rate ich somit immer, daß er sofort eine Nachzucht veranlasst, um seine Königin in ihrer Nachkommenschaft zu beurteilen. Die gekaufte Königin kann auch mit allen Vorsichtsmaßnahmen, die sich bieten, in ein Großvolk eingesetzt werden, wenn sie zuvor die ganze Legekraft in einem Ableger wiedererlangt hat.

Von einer gekauften Königin dürfen keine Siege erwartet werden. Die Reise und der Brutstop haben sie vermindert, aber ihre Nachkommen sollen sie zur vollen Geltung bringen.

Frage: Soeben erwähnten Sie das Zusetzen der Königinnen. Geben Sie uns diesbezüglich Ihre Ratschläge?

Antwort: Ich habe nicht verschleiert, daß eine zugesandte Königin nur selten ihre Möglichkeiten offenbaren kann, die sie in sich trägt. Diese Behauptung wird oft als Ausrede betrachtet, jedoch ist das das Los aller Züchter, denn seit nunmehr vielen Jahren, in denen die Imkerschaft Königinnen kauft, ist es ein öffentliches Geheimnis geworden.

Dies alles erwähne ich nur um zu verdeutlichen, daß das Zusetzen einer Versandkönigin nicht einfach ist. Ich würde sogar behaupten, daß es ein Eckpfeiler des imkerlichen Wissens darstellt. Als Beispiel möchte ich nur anführen, daß gewisse "Berufsimker" es fertig brachten, 6 von 9 Königinnen, die ich ihnen zugesandt hatte, beim Zusetzen zu töten...

Es erscheint mir, daß eine gekaufte Königin mehr als ein flüchtiges Zusetzen erforderlich macht.

Zusetzen der gekauften Königin

Zweifelsohne wird eine Königin, die verschickt wurde, von den Bienen als minderwertig empfunden. Demzufolge ist die Tendenz der Bienen, diese sobald wie möglich zu ersetzen, sehr groß. Die Nigra ist auf diesem Gebiet besonders empfindlich. Bruder ADAM beschreibt dies mehrmals in seinen Büchern. Alle schädigenden Faktoren müssen also beseitigt werden:

- Alle Flugbienen, die ja einer jungen Königin gegenüber besonders aggressiv sind, müssen garantiert entfernt werden.

- Nur junge Ammenbienen, noch besser frisch geschlüpfte Bienen dürfen bei der Königin belassen werden.

- Alle Nachschaffungsmöglichkeiten, also jegliche offene Brut muß verschwinden, um die Ammenbienen zu zwingen, sich zuallererst um die Königin zu kümmern, damit sie im Überfluß mit Nahrung versorgt wird, um zum Mittelpunkt der ganzen Fürsorge zu werden.

- Alle imkerlichen Störungen müssen unterbleiben.

- Auf mögliche Räuberei muß geachtet werden. Aus diesem Grund muß, solange bis der Ableger eine Fluglochwache gebildet hat, das Füttern unterbleiben.

- Es muß alles getan werden, daß die Königin über ausreichend Platz zum Legen verfügt. Ein diesbezüglicher Platzmangel zwingt sie, das soeben begonnene Legen wieder einzustellen. Damit wird die Königin als wertlos betrachtet und aus dem Stock gezerrt.

- Die Königin muß ohne Begleitbienen zugesetzt werden usw.

Alle diese Anweisungen beinhalten, daß nie ein Standvolk oder noch schlimmer, ein weiselloses oder sogar drohnenbrütiges Volk mit einer

Versandkönigin beweiselt werden darf, sei es mit welcher Methode auch immer.

Damit die Sache gut geht, genügt es, folgendes zu tun:

1) Das friedlichste Volk vom Stande auswählen, seine Königin käfigen, damit sie nicht versehentlich in den Ableger gelangt.

2) Ein Ablegerkästchen neben das obige Volk stellen.

3) Eine verdeckelte Honigwabe samt Bienen und eine fehlerlos verdeckelte Brutwabe mit Bienen in den Ablegerkasten eingeben. Sollte solch eine Wabe nicht zur Verfügung stehen, ist es besser, sie durch eine

Leerwabe zu ersetzen. Das ist notwendig, damit die Königin freien Platz zum Legen hat. Zu allem kommt noch eine mit Bienen besetzte Honig-Pollenwabe, die mit Wasser eingesprüht wurde.

Sollte es nicht gelungen sein, in dem oben genannten sanftmütigen Standvolk die Königin zu finden (was bei Jungimkern in der Nervosität und Angst um die zugekaufte Königin oft vorkommt), so füllt man den Ableger mit denselben Waben, aber ohne Bienen. Dann werden die Bienen durch einen Aufsatz mit Absperrgitter dem Ableger zugegeben.

4) Es ist besonders wichtig, daß die Bienen zugeschüttet oder zugeschlagen werden. Mindestens 4 bis 5 Rähmchen, mit Bienen von offener Brut sollten es sein. Eine leichte Rauchunterstützung ist unbedingt notwendig.

5) Sobald der Ableger genug Bienen besitzt, sollte er sofort vor Sonne und Wind geschützt sein.

6) Das Flugloch wird auf nur ein bis zwei Bienendurchgänge eingeengt.

7) Die Königin alleine in einem breitmaschigen Käfig ohne Befreiungsmöglichkeiten beigeben.

Der Käfig wird meistens oben zwischen zwei Rähmchenleisten geklemmt. Zu bemerken ist, daß das Einkäfigen der Königin immer im geschlossenen Raum geschehen muß, damit sie, wenn sie entweicht, leicht wieder eingefangen werden kann (dies passiert den ausgekochtesten Imkern ...).

8) Den Ableger nicht mehr stören und den Abflug der Flugbienen beobachten, die in ihren alten Stock zurückkehren, weil sie sich bei der fremden, eingekäfigten Königin weisellos fühlen. Herrscht beim Ableger reger Anflug, muß er ein bis zweimal verstellt werden, denn es ist Räuberei zu befürchten. Da die Jungbienen nicht ausfliegen, ist das Verstellen die einstweilig beste Lösung.

9) Am nächsten Tag vorsichtig, mit wenig Rauch die Stimmung am Zusetzkäfig prüfen. Im Normalfall sitzen die Pflegebienen fürsorglich und leicht nervös um den Käfig, in welchem sich die Königin in bester Stimmung und oft schon mit leicht vergrößertem Hinterleib bewegt. Dies ist der günstigste Moment, um den festen Verschluß durch einen Honigzuckerteig zu ersetzen.

Sollten nur wenige Bienen den Käfig umringen, so ist der Ableger zu untersuchen, ob nicht eine Königin vorhanden ist, oder ob sich nicht doch irgendwo eine Weiselzelle befindet. Sollte der geringste Zweifel herrschen, so ist es kein Drama, wenn man noch einen Tag länger mit dem Öffnen des Käfigs wartet. Wenn am anderen Tag sich die Stimmung am Käfig noch nicht verbessert hat, so ist es ratsam, den Ableger zurückzugeben und einen neuen zu erstellen.

Klammern sich die Bienen verkrampft um den Käfig, so stimmt sicher etwas im Ableger nicht. Entweder ist eine Königin vorhanden, oder die Altbienen konnten durchs verstopfte Flugloch nicht abziehen. Auch da muß nach Behebung des Fehlers noch ein Tag gewartet werden. Ziel und Zweck der Sache ist und bleibt es, jegliches Risiko zu umgehen. Das Flugloch muß wegen Räuberei im Auge behalten werden.

10) Nach dem Freigeben der Königin muß man 5 Tage warten, bevor man einen kurzen Blick unter Anwendung von wenig Rauch in den Ableger werfen kann, um Brut und Königin zu kontrollieren. Es ist ratsam, ein Absperrgitter am Flugloch anzubringen. Sollte es durch irgendwelche Umstände, die mit dem Einsetzen der Königin nichts zu tun haben, zum Tode der Königin gekommen sein, so liegen diese meistens hinter dem Gitter am Flugloch.

11) Je nach vorgesehener Verwendung der eingesetzten Königin kann man nach 10 Tagen beginnen, den Ableger mit einer auslaufenden Brutwabe ohne Bienen zu verstärken.

12) Jetzt ist es wichtig, ständig zu beobachten, ob die Königin genügend Bienen und Platz zum Legen besitzt.

Ursachen der Spätverluste bei zugesetzten Königinnen

Platzmangel in der Eiablage ist eine der häufigsten Ursachen von nachfolgenden Verlusten zugesetzter Königinnen, speziell von handbesamten Königinnen. Sie sind besonders schwierig zuzusetzen. Herrn Josef Haidinger aus der Nähe von München (er ist in meinen Augen einer der erfahrensten Männer auf dem Gebiet der künstlichen Besamung), verdanke ich die Beachtung dieses scheinbar zweitrangigen Problems.

Die kritische Zeit liegt in den ersten drei Wochen, in denen die Königin in Eilage ist. Platzmangel kann auch durch einen zu schwachen Ableger entstehen, besonders, wenn die Ableger mit vielen Altbienen gebildet wurden, die ja zum Muttervolk zurückkehren. Ein sofortiges Verstärken mit auslaufenden Brutwaben schafft Abhilfe. Diese Brutwabe wird in die Mitte des kleinen Brutnestes gegeben. Das Ziel ist es aber, daß die Königin ständig legen kann, um den Bienen ihre volle Tauglichkeit zu beweisen. Es wird noch nicht genügend beachtet, daß eine Königin, die weniger als 4 Wochen in Eilage war, viel schwerer angenommen wird, als eine ältere. Dies hat gewiß etwas mit den Pheromonen (Königinnensubstanz) zu tun, die noch nicht genügend vorhanden sind. Es ist bekannt, daß eine Königin umso mehr Pheromone erzeugt, je mehr Eier sie legt. Wiederholen wir, daß es wichtig ist, die ununterbrochene Eilage der frisch zugesetzten Königin zu fördern (noch wichtiger gilt dies für handbesamte Königinnen).

Wenn also die Königin über die Möglichkeiten der Pflegebienen gelegt hat (was bei fruchtbaren Rassen oft üblich ist) und keine freien

Legeflächen mehr zur Verfügung stehen, unterbricht sie zwangsläufig das Legen. Dies kann man durch Tausch einer Leerwabe mit einer frisch bestifteten Brutwabe verhindern.

Am gefährlichsten ist es für die Königin, wenn genügend Bienen, aber kein Platz zum Legen vorhanden ist. Ein einfaches Zwischenhängen von ein bis zwei Leerwaben in die Mitte des Brutnestes ist die schnellste und beste Lösung. Ein seitliches Anhängen der Leerwaben möchte ich nicht empfehlen, denn eine Honig- oder Pollenwabe kann ein unüberbrückbares Hindernis für die Königin im relativ schwachen Volke sein.

Frage: Sie respektieren die Brutordnung, man könnte beinahe sagen die Integrität des Brutnestes. Aber in diesem Falle handeln Sie total gegen die Regeln des biologischen Optimums.

Antwort: Wenn man eine wertvolle Königin zusetzt, die entweder handbesamt ist oder von weit herkommt, ist es höchst wichtig, daß sie nicht dummerweise umkommt. Es ist daher am wichtigsten, der Königin eine maximale Überlebenschance zu geben. Es geht hier um ein genetisches Kapital. Diese Priorität übersteigt alle anderen Erwägungen. Wenn später die Königin angenommen ist und alles so läuft wie vorgesehen, kann man die besondere Betreuung des Ablegers einstellen und wieder auf die allgemeinen Regeln der Völkerführung zurückkommen.

Wie schon gesagt, hat man selten die Wahl zwischen gut und schlecht, sondern zwischen den schlechten und weniger schlechten Lösungen. Das heißt, wenn ich aus der Betriebsweise eine Imkerideologie mache, dann beinhaltet dies natürlich, daß ich eine wertvolle Königin kaltblütig umbringen lassen kann... Mir geht es in diesem Falle eher um den Erhalt der Königin, als um die guten Prinzipien, die ich trotz allem, seien wir ein wenig ehrlich, aus Unwissenheit hin und wieder übertrete.

Frage: Sie haben recht gehabt, diesen Tip von Herrn Haidinger zu erörtern. Es ist noch zu beweisen, ob die Leerwabe im Brutnest nicht noch

andere gute Ursachen in sich birgt. Tatsächlich bin ich in dieser Sache mit Ihnen einverstanden, wenn es um das Leben einer wertvollen Königin geht. Haben Sie noch andere Zusetzmethoden, die unfehlbar sind?

Antwort: Keine Zusetzmethode ist unfehlbar, denn sonst hieße dies, daß der Imker das globale wie das kleine Ineinandergreifen der Lebensprozesse des Bienenvolkes kennt. Wer getraut sich schon so etwas zu behaupten?

Zusetzverfahren mit Betäubung

Es scheint mir diesbezüglich wichtig, daß die als unfehlbar geltende Methode der Betäubung mit Lachgas (Ammoniumnitrat) auch ihre Tücken hat.

Wohl kann ich behaupten, daß bei mir weit über 30 Jahre mit dem Lachgas noch kein Zusetzen von Königinnen in ein buckelbrütiges Volk (Afterweisel) fehlgeschlagen hat, allerdings mit dem großen Vorbehalt, daß man Königinnen einsetzt, die mindestens 4 Wochen Eilage hinter sich haben und noch keine 2 bis 3 Stunden aus dem Volk genommen worden sind.

Die Ausführung ist einfach. Ein Kaffeelöffel Ammoniumnitrat wird in ein Stück Zeitungspapier eingewickelt und auf die Glut des Rauchapparates gelegt und mit einer Handvoll grünem Gras bedeckt (Rauchabkühlung!). Sobald ein grau-blauer, süßlich riechender Rauch entweicht, wird das Volk energisch eingeräuchert. Die Bienen fallen bewegungslos auf den Beutenboden. Man hält die Beute eine halbe bis eine Minute geschlossen. Dann Deckel ab und Rauch abziehen lassen. Die Königin wird nun ohne Käfig einfach in die Beute gebracht. Beute zu, Flugloch auf. Fertig!

Am besten sind für solch eine Arbeit die Abendstunden. 5 Tage später ist die Nachschau. Die Königin legt und langsam geht die Buckelbrut zurück. Ein oder zwei auslaufende Brutwaben können hier viel Gutes in einem Volk bewirken., weil es in diesem Falle an Ammenbienen fehlt.

Diese brutale Zusetzmethode ist nur unter unumgänglichen Bedingungen, wie z.B. Buckelbrut (legende Arbeiterinnen), zu verwenden.

Anzumerken ist, daß das Volk während der Betäubung ruhig verstellt werden kann, da die Bienen durch die Betäubung ihren Orientierungssinn verlieren und sich sowieso neu einfliegen müssen.

Also nochmals, nie eine junge oder zugeschickte Königin in ein Wirtschaftsvolk einsetzen. Der Mißerfolg ist mit wenigen Ausnahmen garantiert!

Das Zusetzen einer gefährdeten Königin

Welcher Imker hat nicht schon eine Königin bekommen, die in einem solch schlechten Zustand war, daß jede übliche Zusetzmethode eine Gefahr bedeutet hätte und eine sofortige Inpflegenahme der Königin unumgänglich war?

Das Aufsetzen dieser Königin samt Begleitbienen auf eine anfänglich total bienenfreie Wabe mit eben schlüpfender Brut, ist ein Mittel, das hier helfen kann. Besser ist es aber, zwei solcher Waben in einen Ablegerkasten zu geben und diesen an einen warmen Platz zu bringen (meistens muß das Badezimmer dafür herhalten!). Honig, Wasser und Wärme müssen ausreichend vorhanden sein, damit die weniger reife Brut nicht abstirbt.

Frage: Haben Sie diesbezüglich noch andere Ratschläge zu geben?

Das Auskäfigen der gekauften Königin

Antwort: Die Herausnahme einer Königin aus ihrem Versandkäfig geschieht in einem geschlossenen Raum (ich wiederhole es mit Absicht, denn während der vielen Jahre meines Königinnenverkaufs sammelte ich die unglaublichsten Imkergeschichten ...!!!), damit diese beim Abfliegen wieder eingefangen werden kann. Ist die Vitalität der ausgekäfigten Königin gut, wird sie sofort gezeichnet und ein Flügel gestutzt. Nachträglich ist dies alles nicht mehr so leicht zu absolvieren. Manche

Imker behaupten, daß die gezeichnete Königin schwerer angenommen wird als die ungezeichnete. Dies stimmt, wenn sie frisch gezeichnet wurde, aber nicht, wenn sie noch 24 Stunden im Käfig verbringen muß und somit nicht im direkten Kontakt zu den Bienen ist.

Vorsichtsmaßnahme beim Zeichnen der Königin

Aus diesem Grund wird bei mir eine frisch gezeichnete Königin nicht einfach durch das Flugloch wieder eingesetzt (plötzlich große Verluste belehrten mich eines besseren), sondern durch den Zusetzkäfig mit einem kräftigen Honigzuckerteigverschluß. Die Befreiung der Königin erfolgt 2 bis 4 Stunden später, sodaß genügend Zeit vergangen ist, um den Klebstoff des Opalithplättchens gut anhaften zu lassen und um seinen vielleicht bienenwidrigen Geruch zu verlieren.

Zusetzkäfig

Wie jeder Imker besitze ich eine Sammlung von Zusetzkäfigen, die einen Museumsdirektor vor Neid erblassen lassen. Wenn es ein Rähmchensalat gibt, so wird dieser in seiner Reichhaltigkeit von den Zusetzkäfigen übertroffen. Glücklicherweise hat dies keine wirtschaftlichen Folgen, außer dem Tod von guten Königinnen, die sich im chinesischen Rezept, das bei etlichen Käfigen Pate gestanden haben dürfte, verstrikken. Lange benützte ich ein "Ding" (mückenkäfigartig), das mir von einem Altimker geschenkt worden war und sicher vom letzten Jahrhundert stammte. Die Zusetzresultate waren aber nicht schlecht. Dann übernahm ich den Käfig von Bruder ADAM und ausnahmsweise kam ich diesmal mit seinem Käfig nicht zurecht. Herr Ries gab mir ein Teil der Lösung. Ich hatte Tannenholz verwendet und dadurch keinen sauber gebohrten Eingang erhalten, was die Königin beim Herauslaufen störte. Aber trotzdem war es mir nicht möglich, eine Königin schnell ohne Rauch und Zeitverlust herauszulassen. Ich verwende jetzt mit voller Zufriedenheit den Käfig der scheinbar in Oberursel (ohne Gewähr) erfunden worden ist und der sehr nahe an dem von Bruder ADAM ist. Er kann zudem vom Imker selbst angefertigt werden. Der Käfig besitzt dank seiner großen Tür einen großen Ausgang. Er ist groß genug und kann gut zwischen den Rähmchen befestigt werden. Wie beim Käfig von Bruder ADAM, haben die Bienen gute Kontaktmöglichkeiten mit der Königin.

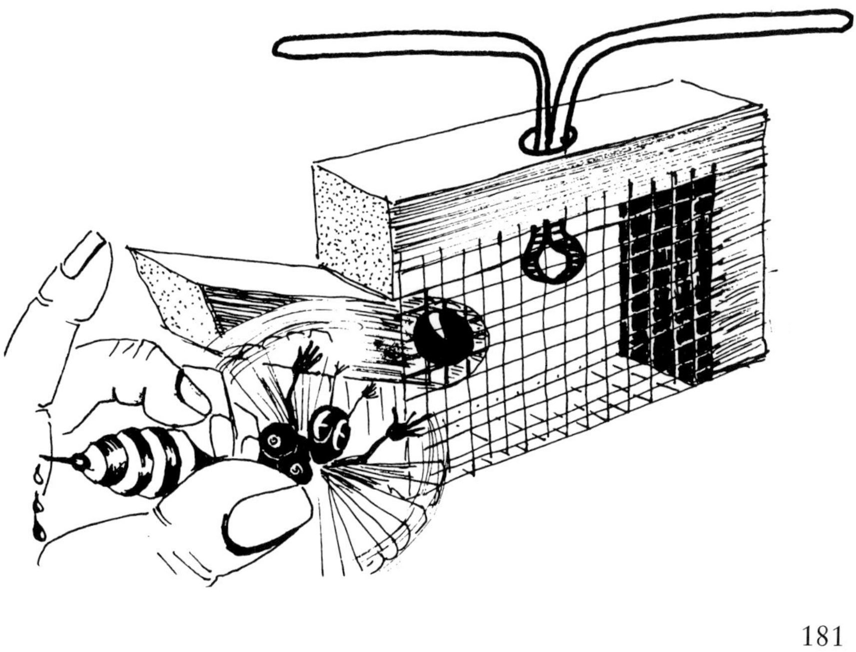

Das biologische Optimum

Frage: Das biologische Optimum oder die optimale Schwelle sind für Sie grundlegende Begriffe. Ich warte jedoch vergebens auf eine genaue Definierung und auf Beispiele, die mir weiterhelfen könnten.

Antwort: Jeder weiß, daß das primitivste Lebewesen der Erde unglaublich komplexe Fähigkeiten besitzt (Austausch, Vermehrung, Abwehr, usw. ...). Die Wissenschaftler vermuten, daß es noch viele Jahrzehnte dauern wird, bis sie in der Lage sein werden, solche einfache Lebewesen im Labor nachzuahmen. Es verwundert also niemanden, daß ein so hoch entwickeltes soziales Gefüge wie das der Bienen, eine Definitionsresistenz bietet, wenn man sein biologisches Optimum, das sein Wohlergehen bestimmt, studiert. Tausende von Angaben sind darin enthalten.

Ich bin nicht besonders begeistert, Beispiele aus dem technischen Bereich zur Erläuterung zu benützen, denn die komplizierteste Maschine ist von einer bestürzenden Einfachheit im Vergleich zu einer einzelligen Bakterie, von der wir oben gesprochen haben. Jedoch - es bestehen Parallelen. Nehmen wir als Beispiel eine motorgetriebene Wasserpumpe. Man stellt bei ihrer Benützung fest, daß es einen optimalen Wirkungsgrad gibt, eine Drehzahlzone, welche die größte Leistung bei einem Minimum an Energieverbrauch ergibt. Der Benutzer wird sagen, daß in dieser Zone die Pumpe am kostengünstigsten und wirkungsvollsten arbeitet. Gewiß kann diese Pumpe auch langsamer oder schneller drehen, also weniger oder mehr Wasser fördern. Kosten und Wirkung sind jedoch innerhalb dieser optimalen Schwelle am günstigsten.

Eine andere interessante Feststellung: Generell nützt sich die Pumpe weniger ab, wenn sie innerhalb dieser berühmten optimalen Zone dreht. Das bedeutet auch, daß die Unterhaltungskosten der Pumpe in dieser Zone so niedrig wie möglich sind. Der Spezialist wird noch beifügen, daß jede Pumpe ihren eigenen optimalen Wirkungsgrad besitzt.

Dieses sicher ein wenig einfältige Beispiel will somit auch zeigen, daß der Imker gut tut, seine zahlreichen Eingriffe so zu planen, daß sie sich im Rahmen des biologischen Optimums befinden, oder zumindest sich daran orientieren.

Frage: Recht und gut, aber leider sieht sich der Imker oft unerwarteten Situationen gegenübergestellt, die ihm nicht die Möglichkeit geben, die empfindlichen Zusammenhänge, den Mechanismus des biologischen Optimums zu respektieren. Zudem ist der Traum, jedes Volk auf seine eigene Weise zu pflegen, in der imkerlichen Praxis unvorstellbar, insbesondere beim Berufsimker.

Antwort: Wenn Sie mir es gestatten, werden wir das Beispiel der Wasserpumpe wieder aufgreifen: Es gilt als eine Selbstverständlichkeit, daß die an einen Brand gerufene Feuerwehr eher Sorge hat, den Feuerherd zu löschen, als an der idealen Leistungsschwelle der Pumpe zu tüfteln. Das Allerwichtigste und zugleich das Rentabelste ist es, das Feuer zu löschen, welches ja ungleich mehr an Kosten verursacht als der Mehrverbrauch an Energie bei Höchstdrehzahl der Pumpe. In der Imkerei gibt es auch solche Prioritäten. Wir haben schon über das Zusetzen der Königin gesprochen, wo die Priorität des Überlebens der Königin unbestreitbar ist und bleibt. Im Verlauf des Bienenjahres kommen gelegentlich solche speziellen Noteingriffe unerwartet und unvermeidbar vor. Eine Selbstverständlichkeit sollte es dann sein, die Lage (Krise) nicht zu "verschlimmern", um das Volk nicht noch zusätzlich in seiner Resistenz oder seiner Fähigkeit, "Schläge" auszuhalten, zu belasten.

Ein Füttern mit Honig, ein Zubringen von Jungbienen mit oder ohne Königin, ein gezieltes Austauschen von alten Brutwaben gegen Brut enthaltenden Jungbau, Wanderungen, ein sparsames Umgehen mit Rauch und Medizin, eine günstige Aufstellung, zügiges Arbeiten am Volk, eine fürsorgliche Zucht, die beste Königinnen ergibt usw., sind etliche von den Tausenden von Möglichkeiten, die dem Volke helfen können, einen Schock zu überbrücken, ohne das biologische Optimum zu gefährden. Der Imker hat oft die Neigung, seine Möglichkeiten im Hinblick auf die Heilung eines Volkes zu unterschätzen. Die Zugabe eines Ablegers mit junger Königin oder zumindest mit vielen Jungbienen, ist z.B. ein fast universelles Mittel, um in einem gefährdeten Volk Notzustände zu heilen. Gewiß ist auch diese Methode nicht umsonst, aber die Möglichkeit, eine gefährdete biologische Schwelle in Takt zu halten, ist so wirksam, daß sie letztendlich sehr rentabel ist.

Was die individuelle Volkspflege anbelangt, beharre ich mit etlichen Nuancen auf meiner Stellung. Beim Öffnen eines Volkes muß ich fähig sein, mich von allen Vorbelastungen und Einflüssen zu befreien, um die Originalität und Eigenart zu fühlen und zu erfassen (was aber nicht immer voll gelingt, denn das Gesehene vom vorigen Volke klingt einfach nach). Ein Schlüssel des Erfolges ist: Nie schematisieren; sich nie von der Möglichkeit einer Standardpflege einfangen zu lassen, bevor man nicht alle Fakten beobachtet hat. Das biologische Optimum ist in der Tat ein hartnäckiger Individualist!

Das soll aber wiederum nicht bedeuten, daß ein Gleichschalten und Vereinfachen von Pflegemaßnahmen nicht stattfinden soll. Es geht darum, daß der Imker an der Beute das "Individuum" Volk in seiner Eigenart erfaßt, damit er durch eine generelle Pflegemaßnahme keinen Schaden herbeiführt oder einen vorhandenen verschlimmert.

Zucht und Auslese werden oft nur als Mittel verstanden, die ausschließlich im Dienste der direkten Honigleistung stehend. Nichts kann falscher sein, als solch ein eingeschränktes Ziel. Hochleistung ja! Aber nur als Ergebnis höchsten Wohlergehens des Volkes und nicht, wie es in der modernen Industrie und Landwirtschaft so üblich geworden ist - Hochleistung um jeden Preis.

Obwohl die Zucht auch ein Rationalisieren der imkerlichen Maßnahmen als Ziel hat, ist die Auslese nur durch ein sehr individuelles feinfühliges Beobachten aller speziellen Faktoren eines Volkes möglich. Die Großimkereien von Frankreich und sonstwo, wollen dies nicht mehr wahr haben; ich bemerke jedoch, daß dann übertrieben viele medikamentöse Krücken den glorreichen Schein der ultrarationalisierten Massenbetriebsweise stützen müssen.

Frage: Die Imkerei besteht aus kleinen und großen Einzelheiten. Was sollte die Hauptsorge des Imkers sein, wenn er sich mit der Buckfastbiene abgeben will?

Die Buckfastbiene und die imkerlichen Gewohnheiten

Antwort: Eine gefährliche Frage, weil eben jeder Imker verschieden ist und jeder das Hauptgewicht der imkerlichen Fürsorge an den Platz bringt, an dem es ihm am wirkungsvollsten erscheint. Ich kann folglich nur das benennen, was ich mit meiner oft kurzsichtigen Brille sehe...

Um eine Bienenrasse kennenzulernen, muß man bereit sein, ein Mindestmaß an Zeit zu opfern. Die Buckfastrasse jedoch erlaubt es, durch das Studium der Bücher von Bruder ADAM diese Zeitspanne merklich zu kürzen. Dank der Präzision und Klarheit seiner Schriften, er ist ja ein praxisverbundener Züchter, dem aber die Theorie keinesfalls entgeht (im Gegenteil), wird das Studium zum Genuß. Die Erfahrungen von mehr als einem halben Jahrhundert (Versuch und Irrtum), die hinter den Anweisungen von Bruder ADAM stehen, werden aber von manchen Imkern übersehen. Folglich setzen sie sich leichtfertig über empfohlene Arbeitsweisen und Tips hinweg. Manche Ratschläge Bruder ADAMS scheinen in der Tat zunächst überflüssig oder banal.

Weit mehr als auf die Technologie selbst oder die imkerlichen Kniffe, die Bruder ADAM anrät, muß man die "Philosophie" oder das Endziel des Eingriffes beachten, den er vornimmt.

Auf meine Art habe ich es versucht zu verdeutlichen. Es gibt bei Bruder ADAM keine Geheimnisse. Das Können von Bruder ADAM mit seiner Biene besteht vielmehr in dem was ich "biologisches Optimum" und "unübertretbare Schwelle" genannt habe.

Wir haben gesehen, daß die maximale Leistung eines Volkes nur auf Dauer möglich bleibt, wenn man dieses biologische Optimum permanent respektiert. Die Leistung ist nur eine wichtige Aus-wirkung, aber sie ist nicht uranfänglich in der Imkerei. Imkern funktioniert wie alle Unternehmungen des Menschen mit der Natur auf dem Prinzip des Opfers: Im selben Maß wie man gibt, bekommt man. Bruder ADAM sagt in der Festschrift zum 100jährigen Bestehen des Landesverbandes Württembergischer Imker Seite 45/46: "Wir wissen nur, daß unsere Honigbienen ihren eigenen Instinkten und Gesetzen folgen. Immer wieder stehen wir vor neuen Rätseln. Aus diesen Gründen können wir es vielleicht zu Meistern in der Imkerei bringen, aber niemals zu Bienenmeistern. Hier sind wir nicht die Herren, sondern die Diener und Pfleger der Bienen. Erfolge oder Mißerfolge der eigenen Bienenzucht hängen vielleicht von der richtigen Einstellung zu diesen Zusammenhängen ab".

Die Gefahr für den oberflächlichen Leser der Bücher Bruder ADAMS bestehen darin, daß der Betrachter von den technischen Aspekten, von der intelligenten, pragmatischen Sammlung von Kunstgriffen und originellen Imkergeräten in den Bann genommen wird. Dies wird dann in sein sonstiges Wissen eingefügt. Mit einem, für mich bestürzenden, guten Gewissen können sich dann diese Imker auf Bruder ADAM berufen.

Im Grunde aber mißachten sie mehr oder weniger die Realitäten des biologischen Optimums. Im Gegensatz dazu stelle ich fest, daß es gut möglich ist, die Buckfastbiene mit besten Resultaten zu halten, ohne die imkereitechnische Seite (Beute usw.) zu übernehmen, aber unter der Bedingung, daß das biologische Optimum beachtet wird. Das Gegenteil ist nicht möglich und erklärt die meisten Fehlschläge.

Marguerite Lecat hat als Bäuerin gesagt: "Man muß dem Boden den Hof machen".Ich übertrage einfach und sage: "Man muß den Bienen den Hof machen".

Dies ist nochmals ein Versuch, das verständlich zu machen, was ich im Grunde zwischen den Zeilen der Bücher von Bruder ADAM lese. Es geht auch weit über ein einfaches Übernehmen einer Imkertechnik, wenn man die Schwierigkeiten meistern will, mit denen die heutige Imkerei zu kämpfen hat. Es wird mehr als eine kunstvolle Flickarbeit erwartet.

Um die Buckfastbiene gut zu erfassen und mit ihr Gewinn zu ziehen, genügt es folglich nicht, sie in den eigenen Betrieb einzuführen und in seinen altgewohnten Gleisen weiterzufahren. Es genügt auch nicht, haargenau zu übertragen, was Bruder ADAM selber gemacht hat. **Es geht eher darum, die Grundprinzipien von Bruder ADAM und seiner Biene gut zu verstehen und sie an die jeweiligen Bedingungen jeder Gegend aber auch seiner eigenen imkerlichen Persönlichkeit anzupassen.**

Es erscheint belustigend, manchmal ein wenig betrüblich, zu beobachten, wie gewisse Imker die imkerlichen Errungenschaften gierig aufnehmen und sie mit den schon verwendeten vergleichen. Man hat den Eindruck, sie suchen ein Rezept in einem Kochbuch. Sie bereichern sich nur mit vielen kleinen, technischen Kniffen und gehen am Wesentlichen vorbei.

Beeindruckend sind die, die fähig sind, von ihrer eigenen Imkerei Abstand zu nehmen, die Methode der anderen gewissermaßen von Innen zu erfassen um dadurch ihr eigenes System zu revolutionieren (im Sinnen von umzudrehen). Wichtig ist es nicht, daß man die Imkerei von Bruder ADAM annimmt, sondern daß man fähig bleibt, sich selbst in Frage zu stellen und somit die Möglichkeiten aber auch die Grenzen eines ausgeglichenen Systems zu erfassen und dann in voller Kenntnis die Wahl zu treffen.

Ein festgefahrenes Imkersystem ist in sich etwas, das beruhigt und das Gewißheiten verschafft, wo andere noch suchen und Zweifel haben. Aber solch eine Einstellung widersteht jedem echten, persönlichen Fortschritt. Sie kann sogar das Vereinsleben schwer belasten. Wie gesagt, es genügt nicht, immer irgendwie theoretisch zu verstehen... Seit 1962 bin ich in Verbindung mit Bruder ADAM. Jedoch viel später war ich erst fähig, von gewissen Vorurteilen und Prinzipien Abstand zu nehmen und meine Imkerei anders zu beleuchten, nicht um in eine andere imkerliche Ideologie einzusteigen, sondern um die Anregungen Bruder ADAMS zu hören und zu "verdauen".

Nach langem Nachdenken, Vergleichen, Studieren, ging mir endlich auf, daß ausnahmsweise das wenig glorreiche Abschauen das Beste wäre, besser als eigenes Erfinden oder Verbessern. Weil ich endlich das ganze System in seiner mannigfaltigen Gestaltung sah und verstand, nur deswegen, wußte ich, daß es absurd wäre, wieder zu erfinden, was schon eine lange Vergangenheit hat.

Praktisch gesehen, bedeutet dies, daß die Hauptsorge des Imkers darin besteht, alles zu tun, um die Biologie, den natürlichen Hang des Volkes in den gegebenen Bedingungen, die gar nicht mehr so natürlich sind, zu unterstützen. Die Gefahr besteht im Überschreiten der Grenzen des Möglichen und Vernünftigen.

Imkerliche Schlagwörter

Frage: Wie mit dem obigen Begriff des biologischen Optimums, so habe ich auch mit Ihren eigenwilligen Formulierungen Mühe. Ein Beispiel: "...um die Biologie, den natürlichen Hang des Volkes in den gegebenen Bedingungen, die gar nicht mehr so natürlich sind, zu unterstützen". Diese für mich hohlen Worte haben eher einen romantischen wie einen reellen Gehalt. Es genügt zu beobachten, was die Imker den Bienen auferlegen. Hier nur einige wahllose Beispiele: Standorte, die ein Wildschwarm nie wählen würde; eine naturfremde Beute; bewegliche Waben mit Mittelwänden; regelmäßiges Einräuchern, begleitet vom Zerlegen der Honig- und Brutwaben; Zusetzen von Königinnen; Entnahme von Honig und Ersatz durch Zuckerfütterung; künstliche Besamung; Schlüpfen der Königin im Brutschrank; Wandern ohne Ruhepause von einer Tracht in die andere; falsch orientierte Überwinterungsplätze; Rassenzusammenführungen, welche die Natur nie zustandegebracht hätte; Pflegemaßnahmen, die die natürliche Auslese verhindern; usw.. Kurz, es scheint mir so, als würde jemand behaup-

ten, daß der Mensch von Natur aus dafür geschaffen wäre, in den modernen Wohnkasernen der Großstädte zu leben. Seien wir doch ehrlich, die Bienen von heute sind Elemente der Menschenproduktion geworden. Sie haben viel Mut, in den imkerlichen Maßnahmen noch etwas Natürliches zu sehen und dort biologische Regeln einzubauen.

Antwort: Ihre Reaktion scheint mir gerechtfertigt, um nicht "natürlich" zu sagen. Es wäre dumm und heuchlerisch, zu behaupten, daß der Imker im Geschehen seiner Völker die Hand nicht im Spiele hätte. Aber ich stelle dennoch fest, daß dieser Einfluß noch klein ist im Vergleich zu noch unberührten Eigenschaften und Möglichkeiten, die der Biene immer noch zu eigen sind.

Auf anderen Gebieten hat der Mensch viel tiefere Einflüsse ausgeübt, z.B. im Obstbau. Dort beobachtet man eine rein künstliche, clonale Vermehrung (Pfropfung), welche es erlaubt, alle unsere berühmten Obstarten sortenrein serienmäßig zu vermehren. Sie könnten ganz gut, genetisch gesehen den modernen industriellen Fließbandprodukten Pate gestanden haben. Viele Sorten wurden aber schon vor 300 Jahren unter König Ludwig den XIV. gepriesen. Ich stelle mir den Ärger eines überzeugten Naturverteidigers vor, dem die Baumschule einen nicht sortenechten Baum verkauft, unter dem Vorwand, daß er auf natürliche Weise von einem Kern oder Stein und nicht von einer Pfropfung gezogen wurde. Eben das Pfropfen erlaubt noch zusätzlich, den Baum mit Hilfe von besonders wachsenden Unterlagen (Wurzeln) in seinen Ausmaßen zu beeinflußen (oder zu steuern). Genau diese sogenannte serienmäßige, clonale Vervielfältigung erlaubt auch noch Sorten zu vermehren, deren chromosomische Struktur naturfremd ist und darum auf fremdartige Pollen angewiesen ist, usw..

Niemand möchte die Vielfalt der heutigen Obstsorten missen. Es scheint eher, daß sie das Symbol der guten, diätetischen, naturnahen Ernährung geworden sind!

- Sicher ist die viereckige Form unserer Beute nicht in der Natur vorhanden, aber die Schwärme belehren uns jedes Jahr, daß ihnen diese Wohnung noch willkommen sein kann.

- Es ist wahr, daß der Imker mit oft unglaublicher Kunst den Instinkt der Bienen überlistet, oft mit Hilfe des Erhaltungstriebes, wie z.B. beim Zellenbrechen oder beim Annehmen einer zugesetzten Königin usw.. All diese technischen Kniffe haben aber auch eine sehr enge Bewegungsfreiheit. Das Zusetzen einer Königin beweist mehr als genug, daß der geringste Fehltritt bestraft wird. Der Meister ist und bleibt die Biene, und trotz aller Auslese und Sanftmut gibt es keine stachellose Biene, und dies zeigt sich sofort, wenn man unsanft oder naturwidrig mit einem Volke umgeht.

- Die Varroa ist diesbezüglich auch keine Ausnahme; selbst wenn es so scheinen mag, daß ohne Hilfe des Menschen dieses Übel nicht behoben werden könne. Die afrikanische Biene soll teilweise schon eine "Antwort" gefunden haben, ich bin aber überzeugt, daß die europäische Rassengruppe auch eine Lösung gegen die Varroa finden wird, jedoch braucht dies viel mehr Zeit, als wir uns vorstellen können. In den scheinbar 50 Millionen Jahren, die die Biene hinter sich hat, sind zumindest so große Hürden wie die Varroa vor ihr überschritten worden. Aus menschlichem Interesse kann solches aber nicht abgewartet werden. Darum bleibt uns nur eines übrig, den Bienen einstweilen zu helfen.

- Gewiß ist der Mensch nur zu oft ein störendes Glied in dem Geschehen der Natur, aber es scheint mir nicht ganz unvernünftig, den Menschen, insbesondere den Imker auch als ein Kind der Natur zu sehen. Es obliegt ihm darum, das, was er von der Natur bekommen hat, verantwortungsvoll weiterzuführen und - warum nicht - erfinderisch zu gestalten. Dies dem Menschen verbieten zu wollen, hieße die Menschheitsgeschichte leugnen und wahrscheinlich auch ein Teil seiner Würde und seiner geistigen Pflicht. Die Schöpfung ist unter diesem Aspekt der

Sache alles andere als ein Ausbeutungsgegenstand oder gar ein Schlachtfeld.

- Ich bin dennoch voller Zuversicht für die Imkerei, denn die Biene, insbesondere aber die hier besprochene Buckfastbiene, ist trotz allem noch fähig, dem Imker auch in Zukunft den Weg zu weisen. Selbst die Wissenschaftler bekunden dies oft mit Ehrfurcht. Sicher hat der Imker oft verbundene Augen. Aber gute Ernten von gesunden Völkern sind ein guter Wegweiser zum "natürlichen Handeln".

Grobe Fehler im Umgang mit der Buckfastbiene

Frage: Können Sie bitte noch etwas genauer auf die gröbsten Fehler im Umgang mit der Buckfastbiene eingehen?

Antwort: Gerne. Ein berühmter Imker wollte es auch mit der Buckfastbiene probieren. Es gehört gewissermaßen zum guten Ton der hohen imkerlichen Gesellschaft, daß man sich solche Versuche leistet, nicht aus Notwendigkeit, nicht aus Langeweile, sondern einfach, weil man über dieses aktuelle Thema mitsprechen will und so vielmehr Gewicht in seinen Argumenten hat, wenn man trotz seiner Berühmtheit sagen kann: " Ich habs ausprobiert". Im Stillen erhoffte sich dieser Imker trotz allem eine positive Überraschung. Er kaufte sich ein paar Ableger mit besten Buckfastköniginnen - reine Buckfast. Er ließ sie sich etwas kosten. Die Entwicklung der Völker war beispielhaft, weil er genau befolgte, was man ihm übers Füttern, Aufbauen, Platzgeben, usw. gesagt hatte. Er war ja kein Geizkragen. Als die Tannen noch spät honigten, empfand er angesichts der so schönen Völker, die er jetzt hatte, die Warnung, ja nicht mit Jungvölkern in die Tanne zu wandern, als Buckfastpedanterie. Er erntete einen vollen Aufsatz von jedem Volk, wanderte im Spätherbst zufrieden nach Hause und sang ein Loblied über die unglaubliche Arbeitskraft der Buckfastbiene. Als er dies triumphierend dem Verkäufer meldete, machte dieser Spielverderber eine langes Gesicht und prophezeite ein böses Auswintern. Als im Frühjahr nur noch ein Volk lebte und dies in schlechtem Zustand war, gab dieser Imker weit und breit bekannt, er käme mit der Buckfast nicht zurecht, sie sei zu empfindlich!

Frage: Was war wirklich geschehen?

Antwort: Die Buckfastbiene geht in allem, was sie tut (z.B. Fruchtbarkeit, Ernte, usw.) bis aufs äußerste ihrer Möglichkeiten, wie das kleine weiße Pferd in der Sage. Gewiß ist sie fleißig und arbeitsam, aber nicht unerschöpflich. Gewiß zieht sie viel Brut auf, aber diese muß gut gepflegt sein, um widerstandsfähige Bienen zu ergeben. An sich ist es schon bemerkenswert, solches leisten zu können. Die Italo-Amerikanerin kann auch solche Leistungen bringen, aber auf Kosten der Widerstandskraft und der Langlebigkeit. Darum diese katastrophalen Kahlflüge dieser Biene. Die Buckfast dagegen bleibt widerstandskräftig, trotz der Leistungen, aber unter der Bedingung, daß man sie nicht vergewaltigt, indem man ihr z.B. das Brutnest umsetzt, oder wie im obigen Beispiel, daß das Jungvolk:

- die Beute besetzen soll.

- eine **gute Tannentracht** heimbringen muß.

- ein schönes Brutnest erhalten soll, trotz des üblichen Pollenmangels, den die Tannentracht beinhaltet.

- **unverbrauchte Bienen** für den Winter bereitstellen soll, usw.

Kurz, die Buckfast ist dank ihrer Fähigkeiten eine außerordentliche Biene, aber sie ist keine Wunderbiene oder gar eine Maschine.

Für sie, wie für alles was lebt, gibt es Grenzen. Die Versuchung, sie zu überschätzen, liegt in der Unkenntnis des biologischen Gleichgewichtes eines Volkes. Jeder, der dieses Gleichgewicht nicht respektiert, ist ein imkerlicher Bastler, sei seine Technik noch so perfekt und mit einem Computer erstellt, oder sei sie von mit großem Titel versehenen und berühmten Professoren.

Frage: Ich höre wohl, was Sie hier auf Ihre Art so wehmütig sagen. Jeder Imker weiß oder ahnt dies zumindest. Warum aber gibt es diese Zurückhaltung oder gar feindselige Haltungen gegenüber der Buckfastbiene?

Feindschaft gegen die Gelbe!

Antwort: Am besten wäre es, sie selber zu fragen. Sie wären sicher überrascht, wenn Sie die wenig untermauerten, zum Teil irrationalen Argumente hören würden, die bewußt oder unbewußt übernommen wurden. Aus Gründen der Objektivität sei gesagt, daß es auch irrational begeisterte Buckfastimker gibt. Es ist sicher eine Groteske, wenn ich höre, daß die Farbe der Buckfast Probleme darstellt. Die Franzosen und Schweizer bedauern, daß sie nicht schwarz ist, die Deutschen und Österreicher, daß sie nicht grau ist und die Italiener und Amerikaner vermissen an ihr das so beliebte leuchtende Gelb! Aber alle dieser drei Rassen sind in der Buckfast eingefügt. Das Graue wurde ihr von der Cecropia, welche die Ausgangsform aller Carnica-Arten ist, gegeben. Das Schwarze ist zweimal eingefügt worden, und zwar zuerst durch die englische und später durch die französische Nigra. Das Gelbe durch die Italienerin, die den Auftakt zum Buckfaststamm gegeben hatte.

Ein großer Imker schnüffelte bei mir alle Völker ab, um dann halbtraurig, halb triumphierend zu sagen: "Keine gefällt mir! Sie sind alle zu gelb, ich brauche eine graue Buckfast, die nicht auffällt!".

Ein Überseeimker meinte hingegen, es gäbe für ihn keine Bienenfarbe. Für ihn sei allein der Ertrag maßgebend, alles andere wäre Wind. Er fügte lachend hinzu, er hätte einen Honigkübelindex, nach diesem würde er streng auslesen.

Die Rassenkombination der Buckfastbiene scheint tatsächlich, wie Dr. Weibel sagt, Probleme aufzuwerfen. Sicher hat jeder Imker das Recht, sich in die Rasse zu verlieben, die ihm gefällt, ohne daß er aber die Wahl der anderen verurteilen oder gar verhindern darf. Die Kaninchen-, Tauben-, Hunde-, Rinderzüchter usw. leben sehr friedlich miteinander, obwohl es unzählige Rassen von Kaninchen, Tauben, Hunden, usw. gibt. Sind wir Imker schlimmer oder intoleranter als die anderen Menschen? Ich glaube es nicht, ich vermute, daß wir uns hier ungewollt verführen lassen und eine Art Spiegelbild einer inneren Verklemmung vor uns haben, die wir nicht zugeben können. Sonst wäre sie schon lange behoben.

Diese Verklemmung wäre beim Kleinimker, etwas grob schattiert, ein einfältiger, beinahe sympathischer Charakterzug. Bei einem Wissenschaftler wird so etwas aber fragwürdig. Ich mußte zweimal hinhören, als ich vernahm, daß ein sonst recht anständiger Professor meinte, die Buckfast wäre ein "Bastardengemisch". Zum Glück ist dieser Mann in einem lieben, neutralen Lande zu Hause, sonst hätte ich das imkerliche Gruseln gelernt.

Es verlangt sicher niemand von einem Imker oder sogar von einem Wissenschaftler, daß er mit der Buckfast voll und ganz einverstanden ist, oder sich mit ihr einläßt. Aber vom letzteren erwarte ich, daß, wenn etwas öffentlich verdonnert wird, zumindest die Literatur über den sogenannten "Sünder" gelesen worden ist, damit er die Differenz zwischen einer "Hybridbiene" wie die Starline, und einer Zuchtkombinationsbiene wie die Buckfast erkennen kann. Wissenschaftlich gesehen, ist das nicht zuviel verlangt.

Ein anderer, mit Titeln versehener Imker behauptet felsenfest, daß Bruder ADAM immer wieder Italienerblut einkreuze, um einen ständigen Heterosiseffekt zu erlangen. Bruder ADAM hat auf solche grobe "Artillerie" nicht geantwortet. Als ich ihn deshalb zur Rede stellte, meinte er mit einem leichten Lächeln, daß er seit 1919, also seit der Geburt der Buckfastbiene, nie mehr die Italienerrasse in den Stamm eingekreuzt habe. Er fügte hinzu, daß seine Zucht immer auf Leistung - Resistenz ausgerichtet sei und nicht auf irgendeine Farbe. Er stellte jedoch fest, daß die guten Völker seit nunmehr über 60 Jahren weder dunkel, noch sehr hellgelb seien. Ein Ledergelb setze sich hier durch. Er könne dies nicht erklären, er stelle es nur einfach fest.

Wir haben schon von etlichen französischen, extensiv wirt-schaftenden Berufsimkern gesprochen, die trotz großer Ernten die Zeit zum Füttern nicht finden und zudem keine schweren Beuten tragen wollen, usw. usw.

Andere Imker fürchten die gelben "Stecher". Sie vergessen dabei, daß die reine Buckfast aber auch die F1 bis F3 eine friedliche Biene ist und die Stechlust vom Erbgut der Nigra oder der Grauen kommen kann. Wenn die Buckfast mit Italienerrassen gekreuzt wird, verstärkt sich die Sanftmut.

Frage: Wir wollen hier die Ursachen der Vorbehalte gegen die Buckfastbiene abbrechen, denn im Grunde bringt dieses Thema nichts Wissenswertes. Aber das soeben angefaßte Problem zwingt mich zu folgender Frage: Wie hält man die Buckfastbiene rein?

Antwort: Diese wichtige Frage stellt sich jeder Reinzüchter. Ich würde sagen, daß man der Reinzucht ein großes Stück wissenschaftlichen Fortschritts verdankt (Dzierzon). Die Carnicazüchter zeigen uns hier zum Teil den Weg, denn seit vielen Jahren haben sie hier Vorarbeit und teures Lehrgeld bezahlt. Es war alles, nur kein leichter Weg.

Dies ist der Grund, warum wir nicht zu eng in die Reinzucht einsteigen sollten. Es ist bemerkenswert, daß die meisten Berufsimker, die ich kenne, unbedingt mit F1-Völkern arbeiten wollen, sodaß z.B. jener deutsche Berufsimker zu seiner Buckfast unbedingt Carnica einkreuzen will. Er sagte mir: "Der Heterosiseffekt ist für mich ein Großteil meines Erfolges. Darum unterstütze ich bei den maßgeblichen Züchtern die Reinzucht mit allen Mitteln, aber ich selber will und kann mir dies nicht leisten".

So denkt auch jener Berufsimker aus den Pyrenäen, der mit "3fach-Hybriden" arbeitet (Nigra - Caucasier - Ligustica), der sehr erfolgreich ist, aber, wie er sagt: "doppelte Hosen" tragen muß, weil seine "Löwen" lange Zähne haben. Er meint philosophierend: "Aber was macht man nicht alles, um gute Ernten zu erzielen...".

Die Frage, die ich mir oft ohne Erfolg stelle: Warum wollen Kleinimker mehr Reinzucht und damit weniger Honig als Berufsimker? Sicher ist, daß der Kleinimker weniger auf die Rendite zu achten braucht und demzufolge die Reinzucht als ein begehrtes Ziel betrachtet. Mir scheint, er sieht eine Art sportliche Herausforderung.

Die Inselbegattungen sind eine gute Möglichkeit zur Reinzucht, die jeder Imker leicht nützen kann.

Die Rasse am Stande reinzuhalten, ist schon schwieriger, denn es gehört eine gezielte Drohnenzucht dazu, die mit Ausdauer durch geführt werden muß, damit sie Früchte trägt.

Frage: Erläutern Sie doch, wie Sie das bei sich tun!

Antwort: Die Drohnenbrut wird nicht unterdrückt. Sie wird noch zusätzlich bei speziell vorgesehenen Völkern gefördert, indem sie eine ganze Drohnenbrutwabe bis Ende August im Brutnest haben. Ich bemerke, daß eine brünstige Königin, wenn tatsächlich viele Drohnen vorhanden sind, nicht lange zu fliegen braucht, um begattet zu werden. Ich getraue mir sogar zu sagen, daß diese Königin nicht die Zeit hat, die angeflogenen Drohnenplätze zu erreichen. Solche Bienenstände werden Plätze, die mit Drohnen überbesetzt sind, insbesondere wenn sie abseits liegen. Sie sind beinahe Reinbegattungsstellen. Ein Experiment, das ich in einem abseits gelegenen, 2 Hektar großen Obstland gemacht habe, ist diesbezüglich das beste Beispiel.

Bei einer Standbegattung mit eigenem großem Drohnendruck, kann es zu Reinbegattungen von 80 % kommen. Das heißt aber nicht, daß 8 von 10 Königinnen rein begattet sind, sondern daß 8 von 10 anwesenden Drohnen mit Wahrscheinlichkeit Buckfastdrohnen sind. Weil sich aber in der Nachzucht eine reine Buckfastkönigin von einer gekreuzten leicht unterscheidet, ist schon beim Ausschlüpfen eine "Farbauslese" möglich. Daß die gute Drohnenzucht ein Glück für die Imker der Umgebung darstellt, ist mehr als bewiesen. Hier wird die strenge Auslesearbeit von Bruder ADAM offenbart. Es ist nicht, wie es oft gesagt wird, eine genetische Verschmutzung, sondern eine Bereicherung. Die schwarze Biene, von Buckfastdrohnen begattet, ergibt eine vitalere aber sanftere Biene, wie die reine schwarze Landrasse. Noch besser wird es, wenn die Tochter einer solchen F1 Königin nochmals durch Buckfastdrohnen begattet wird. Ich habe deswegen schon die schönsten Loblieder gehört, denn die Fruchtbarkeit ohne Schwarm- und Stechlust, gehen Hand in Hand mit großen Ernten.

Frage: Sie sprechen viel von reiner Buckfast. Es scheint mir, daß Sie denselben Weg gehen wie die Schweizer mit ihrer Nigra oder die Deutschen und Österreicher mit der Carnica, oder sind bei der Buckfast diese Begriffe nicht dieselben?

Ratschläge für die Auslese

Antwort: Es stimmt schon, daß die Begriffe "Reinzucht" und "Rasse" etwas anders verstanden werden. Bruder ADAM versucht immer, wertvolle Eigenschaften anderer Rassen ins Erbgut der Buckfastrasse einzubringen und zu verfestigen, anders dagegen viele Züchter Deutschlands, Österreichs und der Schweiz. Sie lehnen andere Rassen in der Zucht, also die Kombinationszucht ab.

Daß in der Imkerei ein zu enges Rassendenken gefährlich ist, beweist die Natur selbst. Sie begünstigt Mischungen. Der Heterosiseffekt ist dafür nur Beispiel.

Die Buckfast spielt das Spiel der Natur mit, aber mit der leitenden Hand des Imkers. Aber immerhin, die Buckfast ist im Sinne der Definition eine Rasse, selbst wenn das Wort hier seine Mythologie verliert.

Die Gefahren von Inzucht sind wohl geringer als bei den anderen Rassen, aber sie bestehen trotzdem auch hier. Deswegen rate ich dem Kleinimker immer mindestens 2 Buckfastköniginnen zu kaufen und von ihnen nachzuzüchten. Der Großimker sollte mindestens 3, besser 5 verschiedene Linien besitzen.

Es wird oft auch vergessen, daß es nicht genügt, einfach weiterzuzüchten, wenn man die Reinzucht durch Inselbegattung oder Handbesamung erlangt hat. Die Auslese ist hier ein maßgeblicher Faktor. Reinheit ist nicht immer Gewähr für Qualität. Unter den möglichst vielen

Reinzuchtköniginnen sollen nur die besten für Drohnen- und Königinnenzucht verwendet werden. Denn Reinzucht ohne entsprechende Leistung wird sinnlos, eine Tatsache, die häufig bei Kleinimkern übersehen wird.

Bruder ADAM hat in seinem Stamm niemals mit Inzuchtdepressionen (Leistungsabfall durch Inzucht) zu tun gehabt, obwohl er von 1919 bis 1940 nie eine andere Biene eingekreuzt hatte. Er verfügte mit seinen 320 Ertragsvölkern über eine genügend breite Basis, um mehrere Zuchtlinien zu führen und unter sich paaren zu können.

Gewiß mußte er auch durch die enge Pforte der Inzucht gehen, um gewisse Linien zu festigen, jedoch immer nur, um diese Zucht dann in den großen Stamm einzuverleiben. Dieser Stamm hat aber im Laufe der Jahre an Vitalität gewonnen, wie es die steigenden Erträge beweisen.

Nocheinmal: Eine Zucht, auf einer Königin basierend, sei sie noch so außerordentlich, ist utopisch, sie führt in eine Sackgasse. Gewiß ist strenge Auslese ein Ziel, aber nur auf einer großen Anzahl von Völkern, die möglichst wenig miteinander verwandt sein sollten.

Frage: Sie sagten soeben, daß Bruder ADAM 21 Jahre lang, d.h. von 1919 bis 1940, kein fremdes Blut in seinen Stamm einfügte. Worin unterscheidet sich dann eigentlich das, was Bruder ADAM macht, von dem, was in der Schweiz, Deutschland und Österreich gemacht wurde?

Antwort: Unter diesem Blickwinkel gesehen, ist Ihre Frage sehr einschlägig. Die Hauptelemente meiner Antwort sind schon gegeben worden. Um so verständlich, wie möglich zu sein, werde ich wohl am besten den Verlauf der Zucht bei Bruder ADAM kurz zusammenfassen.

Mit 21 Jahren stellte Bruder ADAM im Jahre 1919 fest, daß die Milbenseuche ihm bis auf wenige Ausnahmen den Stand geleert hat. Eine Italienerkönigin, gekreuzt mit schwarzen, einheimischen Drohnen, fällt durch besonderen Fleiß und Resistenz gegen Milben auf. Zwei ihrer besten Töchter (auf dem Stand begattet) ergeben Nachzuchten, die in einem Falle milbenresistent, im anderen sehr milbenanfällig sind. Letztere verschwindet automatisch durch die sogenannte natürliche Auslese. 1925 gründet Bruder ADAM seine Belegstelle, damit er garantiert das Beste mit dem Besten zusammenführen kann. Bis jetzt gab es weder Inzucht, noch Reinzucht, denn alles war standbegattet.

Zu diesem Zeitpunkt besteht demzufolge schon eine große Ausgeglichenheit, insbesondere auf dem Gebiet der Milbenresistenz (natürliche Auslese) und des Ertrages (Nachzucht von den besten Königinnen).

Weil vor und nach 1925 aber immer von vielen Königinnen und verschiedenen Drohnen nachgezüchtet worden war, gab es keine Inzuchtdepressionen, sondern es war eine Vitalitätssteigerung des Stammes zu verzeichnen, obwohl etliche spätere Linien in der Inzucht verfeinert wurden. Die kluge Wahl der Drohnen ist auch ein Register, das eine breite Auslesebasis mit weiter Blutverwandtschaft erlaubt. Hier trennt sich das Zuchtschema von dem, was zur gleichen Zeit in der Schweiz, Österreich und Deutschland üblich war.

Frage: Nennen Sie hierzu bitte ein Beispiel!

Antwort: 1975 konnte ich mich mit einem großen erfolgreichen österreichischen Züchter unterhalten. Er erklärte mir, er hätte nach dem Kriege eine immer normgerechtere aber empfindlichere Carnicabiene mit geringer Fruchtbarkeit und Leistung gehabt. Als man aber sehr entfernte Carnicastämme "einkreuzte" und auch mehr Drohnenvölker auf die inzwischen beispielhaft sicher gewordene Belegstelle brachte, verbesserte sich die Lage sofort. Die "Unzuverlässigkeit" der alten Belegstelle hatte diese Inzuchtdepression Jahrzehnte lang verhindert.

Bezüglich dieses Problems antwortete mir Bruder ADAM schriftlich, als ich ihm die Frage der Inzucht stellte, und ihn nach dem Weg fragte, den er gegangen war, um Inzuchtschäden zu vermeiden: "Die originelle Kreuzung, aus der die Buckfastbiene entstammt, war eine Zufallskreuzung, die jedoch in sehr anfällige wie extrem resistente Individuen aufspaltete. Im gegebenen Fall und den Umständen entsprechend nahm die Stabilisierung einer erbbeständigen Neukombination die Zeitspanne von 1919 bis 1933 in Anspruch. Ohne diese Vorarbeit hätten wir vermutlich mit der französischen Kreuzung nicht viel erreicht, was auch zutrifft hinsichtlich den weiteren Kombinationen, welche wir seither erstellten.

Es ist reiner Unsinn, wenn die Leute meinen, daß unsere Inzucht identisch ist mit einer innerhalb der Carnica oder Nigra. Die Inzucht innerhalb einer Kreuzung bringt die erwünschten Kombinationen zusammen, gemäß den Mendelschen Richtlinien. Eine echte Neukombination aus einer Kreuzung ist nur auf diesem Weg zu erzielen. Das Mißverständnis beruht auf einer inkorrekten Bezeichnung von Ruttner, der von Linienkombinationen spricht, welche in Wirklichkeit Linienpaarungen sind. In diesem Sinn kann man auch jede sexuelle Paarung als eine Kombination von weiblich und männlich bezeichnen."

Frage: Ich sehe jetzt in etwa die verschiedenen Zuchtwege, die in Buckfast und im übrigen Europa beschritten wurden. Mich interessieren aber die Zahlenwerte der Ernteergebnisse. Nur sie stellen diese Zuchtarbeiten ins Licht der Realität.

Antwort: Genaue Zahlenwerte anzugeben, ist das letzte, was ein französischer Imker tun wird, genausowenig erfahren Sie seine Völkerzahl. Eine Tradition, die halb aus Angst vor dem Steuerwesen, halb aus kluger Demut besteht, läßt dies einfach nicht zu. Früher sagten die Imker: "Mit Schafen und Bienen hat man schnell viel und schnell wenig".

Genaue Angaben von Ernteergebnissen können nur verstanden und geglaubt werden, wenn man die Bedingungen und imkerlichen Maßnahmen nennt, mit denen diese Ergebnisse erzielt wurden.

Immer wieder können meine Frau und ich an den Imkern beobachten, daß sie leicht schockiert sind und eine Art Schuldgefühl entwickeln, wenn sie unsere Ernteergebnisse genau erfahren. Sie sind eben weit von diesen Ergebnissen entfernt.

Der fremde Imker kann nicht immer genau erfassen, mit wieviel Mehrarbeit die größere Ernte erlangt wurde, selbst wenn wir deutlich darauf hinweisen. Zahlen blenden!

So war z.B. 1981 das Frühjahr so schlecht, daß ich die 10 kg Blütenhonig im Durchschnittsertrag als ein Wunder ansehe. Im selben Jahr erntete in Bayern ein Imkerfreund mit seinen Buckfastbienen etwa 50 kg Durchschnitt auf dem Raps.

Im selben Jahr war die Tannenhonigernte sehr gut: 89 kg Durchschnitt. Freunde im Norden der Vogesen, mit Buckfast natürlich, kamen auf etwa 30 kg, im Jura war das Füttern die Hauptaufgabe. In einem anderen Jahr lagen wir weit über 100 kg durchschnittliche Honigernte pro Volk.

Nicht zu vergessen ist, daß der französische Durchschnitt, wie mir Herr Leclerc von "France Miel" (die größte Berufsimkergenossenschaft) mitteilte, jetzt um 20 kg pro Volk im Jahr beträgt.

Deutsche Berufsimker liegen mit der Buckfastbiene und derselben Betriebsweise wie ich, bei über 50 kg Durchschnitt auf über 15 Jahre berechnet.

Ich habe schon von meinen Ernteergebnissen gesprochen, die weit über dem Landesdurchschnitt liegen. Bevor ich es riskiere, als Elsäßer "Münchhausen" betrachtet zu werden, und beim Leser den Eindruck hinterlasse, ich wäre ein unvernünftiger Aufschneider, will ich hier im

Schatten bleiben, der Sache zuliebe. In diesem Zusammenhang muß gesagt werden, daß die schönen Ernten plötzlich da sind, weil der Imker von einer extensiven in eine intensive Wanderimkerei umsteigt, so wie wir es hier beschrieben haben. In diesem Falle kann der Erntedurchschnitt dreifach höher liegen. Manche Imker haben das Vierfache früherer Ergebnisse erreicht, aber dabei wurde nicht nur die Biene, Beute und System gewechselt, sondern auch die Betriebsweise. So können aus verspielten Liebhabern erfolgreiche Nebenerwerbsimker werden.

Der finanzielle Aufwand

Frage: Es war bisher wenig von den Ausgaben die Rede, die nötig sind, um solch eine Umstellung zu finanzieren?

Antwort: Ein wichtiger Punkt, umsomehr als, ich nie über die finanziellen Mittel verfügte, um mir das zu kaufen, was ich vorhatte. Erst 1964, nach einer guten Tannenhonigernte konnte ich mir kleine Schreinermaschinen zulegen und die Beuten (50 Hohenheimer Zargen) selber machen. Ich rate jedem Nebenerwerbsimker beim Aufbau der Imkerei, möglichst viel in Eigenleistung zu vollbringen. Denn gerade in der Anfangsphase sind die Ernten wegen der notwendigen Vermehrung noch nicht so toll. Bedenken Sie, daß zur Zeit ein fertiges Dadantsystem für ein Volk mit Ableger auf Langstroth auf dem Markt ca. 500 DM kostet. Hinzurechnen muß man die Ausgaben für Wachs, Schleuderraum, Geräte, usw...

Ich erinnere mich nicht gerne an die Zeit, in der meine Frau und ich unser Haus bauten und wir die Kosten des Winterzuckers für die Bienen noch zusätzlich verkraften mußten...(wir hatten damals keine Buckfast, mussten aber trotzdem füttern!).

Nicht von ungefähr habe ich immer wieder auf die Rentabilität in der Imkerei gepocht. Einem Jungimker rate ich dringend, daß er erst das Recht hat, ernstlich zu erweitern, wenn er mit der Einrichtung, die er schon besitzt, Geld erwirtschaftet.

Die Flucht nach vorne, d,h, die Illusion durch Verdoppeln oder Verdreifachen der Völkerzahl den Betrieb rentabel zu gestalten, oder sogar seinen Beruf zu verlassen, um Berufsimker zu werden, ist ein gefährliches Spiel in unserer heutigen Zeit.

Die Verwechslung zwischen Begeisterung (jedoch unumgänglich) und Kompetenz kommt öfters vor und wird hier fatal. Der Betrieb eines Imkers soll wie eine Wildpflanze wachsen, die nur auf ihre Wurzeln zählen kann.

Eine Arbeitsgemeinschaft von 2 Imkern ist eine gute Lösung, insbesondere, wenn man schwere 12er Dadantbeuten besitzt, in denen fleißige Bienen wohnen. Die Hilfe der Gattin, aber auch der größeren Kinder, ist oft das Geheimnis einer guten Rendite einer Imkerei. Vieles wäre noch zu sagen, aber es geht mir auch hier darum, eher die Grundphilosophie der Sache zu beleuchten, als einen Finanzierungsplan zu erstellen.

Frage: Wenn ich Sie richtig verstanden habe, hat die Buckfast etlichen Imkern verholfen, an der Imkerei Gefallen zu finden. Ich möchte, daß Sie Ihre Zurückhaltung aufgeben und mir sagen, was Ihnen persönlich die Buckfastbiene und der Umgang mit Bruder ADAM gebracht hat?

Schlußbemerkung

Antwort: "Das Ich soll gehasst sein", sagt ein französisches Sprichwort. Ganz genau stimmt dies aber nicht! Das "Ich", das man annimmt und zu lieben versucht, ist der einzigste gute Weg, auf dieser Erde zu leben. Das ist das Gegenteil von Egoismus. Aber das "Ich" bestimmt sich und verdankt seine Existenz und sein Lebenssinn nur dem "Nächsten". Ich glaube nicht, daß ich sehr zurückhaltend war, im Gegenteil. In meinen Ausführungen bin ich nie von der Bühne des Geschehens weggetreten und ich erwartete eher, daß Sie mir imkerliche Übertreibung vorwerfen würden.

Ich habe alles so erklärt, wie es mir möglich war. Das genügt. Der Leser dieses Buches soll von dem nehmen, was ihm gut erscheint, und ich hoffe, daß sich durch das Studium dieses Buches die Freude und die Rendite im Umgang mit den Bienen vermehren.

Ich wurde durch die Übernahme der Buckfastbiene weit über das Erwartete begünstigt und sofort muß ich beifügen, daß ich gelernt habe, daß einem in der Imkerei, wie auch im sonstigen Leben, "die gebratenen Tauben nicht in den Mund fliegen".

Eine seltene Genugtuung war es für mich, mit Bruder ADAM in näheren, persönlichen Kontakt zu treten. Es gehört zu den großen Erlebnissen eines Imkers, mit ihm unbeschränkt Gedanken auszutauschen und arbeiten zu dürfen. Bruder ADAM zeigt sich als wahrer Meister, weil er sagen kann: "Ich kann Ihnen auf Ihre Frage nicht antworten, denn ich habe es nicht selbst ausprobiert". Oder, als ich von der Eventualität sprach, daß er auf eine bessere Biene stoßen könnte, wie seine, da war seine Antwort schlagartig: "Dann übernehmen wir sie sofort". Dann fügte er ein wenig traurig hinzu: "Leider habe ich sie bis heute noch nicht gefunden". So etwas nach 70 Jahren harter, schwerer, opferreicher Zuchtarbeit sagen zu können, spricht für sich. Jeglicher Kommentar erübrigt sich. Es ist beispielhaft für alle großen Züchter. Die Einfachheit, aber auch die außerordentliche Energie von Bruder ADAM, vereinigt mit einer großen Treue gegenüber seinen Freunden, bewirkt, daß man von einem Menschen dieser Art nur gestärkt werden kann. Ich bin nicht der einzige, der ihm viel, sehr viel schuldig ist.

Rein persönlich ist es für mich eine große Genugtuung, festzustellen, daß meine Gattin, die sich wie üblich um das Schleudern, den Verkauf des Honigs usw. kümmert, immer mehr Freude hat, an den Bienen selber mitzuarbeiten. Somit ist "meine" Imkerei zu "unserer" geworden, die Kinder inbegriffen. Probleme werden gemeinsam besprochen, nicht alleine im Zufluchtsort "Bienenhaus".

Ohne meine Gattin wäre die Imkerei nicht das geworden, was sie für uns jetzt ist. Es sei ihr hier meinen Dank ausgesprochen.

Ich danke Ihnen für diese gründlichen Ausführungen!

Der Standpunkt eines Praktikers (der mit F1, F2 und F3 Buckfast arbeitet)

1979 habe ich Raymond Zimmer in einem Kursus für künstliche Besamung kennengelernt. Dieser Kursus wurde von L. und Ch. Goetz in der Thumenau organisiert. Es war eine schöne Sitzung, an welcher gleichfalls auch G. Weibel und ein Dutzend Imker aus allen Teilen Frankreichs teilnahmen. An einem Abend nach dem Kursus bot uns Raymond an, ihn zu seinem Stand in der Tannentracht der Vogesen zu begleiten. Ein unvergeßlicher Abend! Während des Sonnenunterganges zeigte uns Raymond einen Großteil seiner Völker, eines nach dem anderen. Manche Beuten hatten 3 Aufsätze und alle liefen förmlich über von Bienen. So etwas hatte ich noch nie in dieser Stärke in einer 12er Dadantbeute gesehen. Alle Bruträume hatten 10 Waben Brut und die prächtigen Königinnen ließen sich nichteinmal auf den herausgenommenen Waben beim Legen stören. Wenn ich beifüge, daß diese Nachschau ohne Handschuhe, Schleier und ohne Stiche ausgeführt wurde, so kann man verstehen, daß ich an diesem Tag den Eindruck hatte, einer Traumimkerei begegnet zu sein. Dieser Abend fand in Horbourg sein spätes Ende, wo Jeanne Zimmer uns ein köstliches Essen zubereitet hatte, das mit einem champagnisierten Met, der direkt aus dem geheimen Keller von Bruder ADAM kam, begossen wurde.

Natürlich hatte dieser erste Kontakt mich bewogen, diese Biene näher kennenzulernen. Da sich meine Zuchtkenntnisse durch den Unterricht von Ch. Goetz gefestigt hatten, waren schon im September 15 Töchter von den 2 aus Horbourg mitgebrachten Königinnen in meinen Beuten. Und so geschah es, daß ich im Laufe der Jahre diese Buckfastbiene besser kennen lernte, und demzufolge auch besser verwenden lernte.

Tatsächlich ist es eine Biene, für die man längeren Umgang und eine längere Gewöhnung benötigt, denn sie braucht eine spezielle Betriebsweise, wenn man von all ihren überraschenden Möglichkeiten Gebrauch machen will. Diese Biene offenbart, so würde ich sagen, in dem Maß ihre Fähigkeiten, in dem es der Imker versteht, ihren Bedürfnissen Rechnung zu tragen. Aber dann - welch eine Biene!

Weil wir im Süden Frankreichs von Ende April bis Ende August verschiedene Trachten (Lavendel, Tanne, usw.) anwandern, wissen wir, daß sie für alle Ernten gut ist, für kurze oder lange Trachten, in allen klimatischen Lagen mit unvorstellbaren Erträgen. Es ist so, daß man dem traditionellen Imker meist keine Zahlen mitteilen kann, sonst wird man unweigerlich als Fantast und Lügner angeprangert. Nocheinmal: alle diese Eigenschaften werden erst offenbar, wenn man dieser Biene die sehr eigenartige Betriebsweise zukommen läßt.

Eine Hochzucht-Buckfastkönigin, im 6er Dadant-Ablegerkasten entwickelt und geprüft, dann in dem 12er Dadantkasten eingesetzt, ist, wenn sie nachträglich wie die üblichen Bienen gepflegt wird, nicht zu erkennen. Oft schon machten wir diesen Versuch bei befreundeten Berufsimkern, denen wir als Geschenk solch eine Königin gegeben hatten. Eingesetzt, unter hunderten, in irgendwelche Beute und auf gleiche Weise gepflegt, wußten diese Imker das Jahr darauf nicht einmal, wo sie zu finden war, weil sich alles in der Mittelmäßigkeit ausgeglichen hatte. Die Führung eines Buckfastbienenstandes ist eine aus Beobachtungen und genauen Eingriffen bestehende Kunst, ohne die alles verdorben ist. Ich nenne hier nur ein Beispiel von vielen anderen: Wir wissen, daß sich von einem gewissen Gewicht an eine Bienentraube zu trennen versucht, also schwärmen möchte, gleich welcher Rasse sie angehört. Bei der Buckfastbiene liegt diese Schwelle, dank der Auslese von Bruder ADAM, um 2 bis 3 kg Bienengewicht höher. Aber wenn dieses Gewicht erreicht ist, will auch sie schwärmen. Wenn man jedoch mit 30 Völkern in 12er Dadantbeuten auf 100 kg Schnitt zusteuert, heißt es nicht, Schwärme zu ernten. Die Kunst besteht also darin, ein solch gewaltiges

Volk zusammenzuhalten, wenn es sich teilen möchte. Das Mittel? Die wöchentliche Schwarmkontrolle und eventuelles Ausbrechen der Weiselzellen. Das ist sicher überdrüssig und langweilig, regelmäßig wie eine Uhr einmal pro Woche diesen Vorgang zu wiederholen, wenn die Bienentraube auf ihrer Spitze ist. Aber welch ein Resultat! Stellen Sie sich ein 12er Dadantvolk mit 3 Aufsätzen vor, alles zum Überlaufen voll mit Bienen, denen man die Teilung verbietet, darauf 2 Wochen Akazientracht. Was wird geschehen? Versuchen Sie es und Sie werden die leidige Wochennachschau annehmen. So ist es geschehen, daß ich den Begriff "Universalbiene", wie man ihn im allgemeinen versteht, wieder überprüfen mußte. Es gehört zum guten Ton, zu schreiben, zu lesen oder nachzusprechen, daß es die Universalbiene nicht gibt. Ich werde das Risiko auf mich nehmen und sagen, daß es sie gibt. Diese Aussage ist abhängig von der Art und Weise des Imkerns, abhängig von der Kunst des Imkers. Diese sogenannte "Hausbiene" (die Franzosen nennen sie die "gezähmte Biene") kann nur im Zusammenspiel mit dem Imker Höchstleistungen vollbringen, und wenn es möglich ist, muß sie der Imker durch Auslese verbessern. Wenn also Bienen und Imker so eng verbunden sind, ist es logisch, daß der Imker nicht nur seine Betriebsweise der Biene anpassen muß, sondern die Biene muß auch zu seiner Persönlichkeit passen. Wer vor 10 Jahren die einheimischen Bienen nicht befürwortete oder annahm, wurde verdammt. Man mußte über viel geistige Unabhängigkeit verfügen, um von diesem Zug abzuspringen. Jedoch ein Sprichwort sagt uns: "Besser ein zweifelnder Sokrates, als ein zufriedenes Schwein". Weil ich gewagt hatte, mich weiterhin umzusehen, konnte ich diese fantastische Biene entdecken. Sie ist die Frucht eines Lebenswerkes eines genialen Menschen, wie es nur einen oder zwei in einem Jahrhundert gibt, die Frucht Bruder ADAMS.

Es wäre unverzeihlich, wenn ich nicht anschließend meinem Freund R. Zimmer danken würde, der mir geholfen hat, diesen neuen Imkerweg zu gehen. Er war auch mein Wegeleiter in diesem imkerlichen Neuland.

Yvon ACHARD Grenoble

Wichtige Daten im Leben Bruder ADAMS

1898 am 3. August: Geburt von Adam Kehrle, zukünftiger Bruder ADAM, in Biberach/Riss in Süddeutschland. Schon als Kind interessiert er sich für die Bienen.

1910 März: Eintritt in die Benediktinerabtei Buckfast.

1915: Bruder ADAM wird aus Gesundheitsgründen der Bienenzucht des Klosters zugestellt.

1916: Dank seiner Beobachtungen, plant er wegen der Resistenz gewisser Bienenrassen gegen die Tracheenmilbe, die ersten Entwürfe dessen, was später die "Buckfastbiene" werden wird.

1919: 1. September - Bruder ADAM bekommt die volle Verantwortung für die Klosterbienenzucht übertragen.

1925: Er eröffnet seine berühmte Belegstelle im Dartmoor.

1930: Beginn der Kreuzungs- und Kombinationszucht mit der französischen, schwarzen Biene.

1940: Bruder ADAM fügt die erste neue Kombinationszucht in den Buckfaststamm ein.

1950: Erste "Suche" nach Rassen in Frankreich, Schweiz, Österreich, Italien, Sizilien, Deutschland.

1952: dann in Algerien, Israel, Jordanien, Syrein, Libanon, Zypern, Griechenland, Kreta, Jugoslawien, Ligurische Alpen.

1954: Türkei, Ägäische Inseln.

1956: Jugoslawien.

1958: Fügt eine neue Kombination griechischer Herkunft in seinen Stamm ein.

1959: Geht auf Reisen nach Spanien, Portugal.

1962: Marokko, Türkei, Griechenland, Jugoslawien, Ägypten, Lybien.

1967: Fügt eine neue Kombination anatolischer Herkunft in seinen Stamm ein.

1972: Fortsetzung der Reisen: Türkei, Griechenland, Jugoslawien.

1973: Wird von der Königin mit dem O.B.E. (Order of British Empire) ausgezeichnet. Am 13. Mai wird ihm in Deutschland das Bundesverdienstkreuz verliehen.

1976: Marokko.

1977: Griechenland.

1982: Reise zur Halbinsel Athos, Griechenland.

1983: Reise nach Kreta.

1984: Reise nach USA, um die dortige Züchtung der Buckfast genau abzustecken.

1987: Verleihung des Ehrendoktortitels der Universität Uppsala/ Schweden

Die Buckfastbiene

1913: Die Tracheenmilbe, ausgegangen von der Insel Wight, erreicht das englische Festland. Sie vernichtet sämtliche einheimischen Bienen.

1916: Die Bienenzucht des Klosters wird von der Tracheenmilbe heimgesucht: es überleben etliche Ligusticavölker.

1917: Entstehung des neuen Buckfaststammes: Lederbraune Ligustica x einheimische schwarze Drohnen.

1920: Erste Versuche mit F1-Kreuzungen, Buckfast x Zypernbiene.

1925: Errichtung der im Dartmoor gelegenen Belegstelle. Durch beispielhafte "Drohnendichte" erlaubt sie jegliche gewollte Kreuzung und Synthese von neuen Kombinationen.
(Im Juni - Juli, wenn die Belegstelle ganz besetzt ist, zählt man dort bis zu 520 Begattungsvölker, die auf Dadanthalbrähmchen sitzen. Sie überwintern dort und die Königinnen werden somit streng geprüft, bevor sie im März in die 320 Trachtvölker eingeweiselt werden).

1930: Kreuzung von Töchtern einer französischen Königin aus dem Südwesten von Paris mit Buckfast-Drohnen. Diese Kombination erweist sich später als absolut hervorragend.

1940: Nach 10 Jahren strenger Auslese, Einfügung dieser neuen Kombination in den Buckfaststamm.

1948: Die Handbesamung wird mit Hilfe des Erfinders dieser Technik. Dr. Mackenson, eingeführt.

1950 (bis heute): Die Beobachtung der Bienen der ganzen Welt in ihrem eigenen Lebensraum erlaubt, ihre Werte zu erfassen und vor Ort etliche wertvolle Individuen auszuwählen, die sich dann im Klima von Dartmoor bewähren müssen, bevor sie (eventuell) in den Buckfaststamm eingeführt werden, wie z. B.:

1952: Kreuzung mit der Cecropia.

1959: Einfügung obiger Kreuzung in den Buckfaststamm, weil bedeutend sanftmütiger und schwarmträger wie der Grundstamm.

1960: Kreuzung mit Anatolier.

1967: Einfügung der obigen Kreuzung in den Buckfaststamm, weil sparsamer und widerstandsfähiger als der Grundstamm.

1982: Verheißungsvolle Versuche durch Kombination mit der Biene der Halbinsel Athos.

1987: Erste Kreuzungsversuche mit der sanften afrikanischen Gebirgsbiene Montecula aus Kenia-Tansania (Kilimandscharo).

Arbeitsprogramm des Jahres

Datum ist gültig für das Elsaß, Colmarer Gegend

5.03.: Wegnahme der Langstrothbeute. Wegnahme der Varroawindel. Austauschen des Bodenbrettes. Anflugbrett anbringen. Untersatz geben.

26.03. bis 5.04.: Aufsetzen der ersten Honigraum-Flachzarge. Großen Fluglochkeil geben. Wandern in den Raps.

22.04. bis 7.05.: Erste Nachschau, Schwarmzellen brechen.

29.04. bis 14.05.: Zweite Nachschau, Schwarmzellen brechen. Eventuell 2. Aufsatz aufsetzen.

6.05. bis 21.05.: Dritte Nachschau, Schwarmzellen brechen.

25.05.: Bienenflucht auflegen. 2 Tage später Rapshonigernte.

13.05. bis 28.05.: Wandern in die Akazientracht.

23.05. bis 7.06.: Auflegen der Bienenflucht. Nachschau von 2 bis 3 Völker.2 Tage später Akazienhonigernte.

15.06. bis 25.06.: Wandern in die Edelkastanien- Tannentracht,oder Wandern in die Lindentracht. Wegnahme des Fluglochkeils. Totale Öffnung.

30.06. bis 10.07.: Edelkastanienhonigernte. Kontrolle der 5 bis 10 stärksten Völker. Aufsetzen der Bienenflucht. 2 Tage später Edelkastanienhonigernte.

15.07. bis 25.07.: Tannenhonigernte usw...

20.09. bis 1.10.: Heimwanderung nach Horbourg. Leere Aufsätze, die als Trommelraum beim Wandern notwendig waren, wegnehmen.

21.9. bis 2.10.: Alte Königin wegnehmen. Eventuell Tannenhonig aus dem Brutnest entnehmen. Langstroth mit Jungkönigin aufsetzen.

24.09. bis 5.10.: Untersatz wegnehmen. Langstrothbeute unter die Dadantbeute bringen. Futtergeschirr aufsetzen. Erste Fütterung mit Butistar 75.

27.09. bis 8.10.: Zweite Fütterung mit Butistar 75.

1.10. bis 1.12.: Anflugbrett entfernen. Futtergeschirr wegnehmen. Mäusesicheren Fluglochkeil anbringen. Winterruhe.

Raymond Zimmer und Bruder Adam bei der Kontrolle von Begattungsvölkchen. Die Abstammung der Königin ist im Innern des Deckels notiert.

Frl. Maria Kehrle, Raymond Zimmer und Bruder Adam bei der Kontrolle eines Volkes in der Tannentracht (Vogesen 1986).

Stand von R. Zimmer in den Vogesen.

Wirtschaftsvölker in der Rapstracht mit 3 Honigaufsätzen und Unteraufsatz. Das Volk, auf das mein junger Begleiter die Hand legt, wurde Brutwabe für Brutwabe fotografiert (siehe folgende Seiten).

Hier eine komplette Durchschau des auf der vorigen Seite abgebildeten Volkes.

1

2

3

4

5

6

7

10

8

11

9

12

Die Bienen wurden zum Teil abgestoßen, damit man die enormen Brutreserven besser erkennen kann (im Mai 1984 bei voller Rapstracht).

Dominique Froux (Buckfastzüchter in Frankreich), meine Gattin und Madame Monique Froux. Dominique arbeitet meistens ohne Schleier und in kurzen Hosen!

Winterstand in Horbourg, vor dem Verstärken.

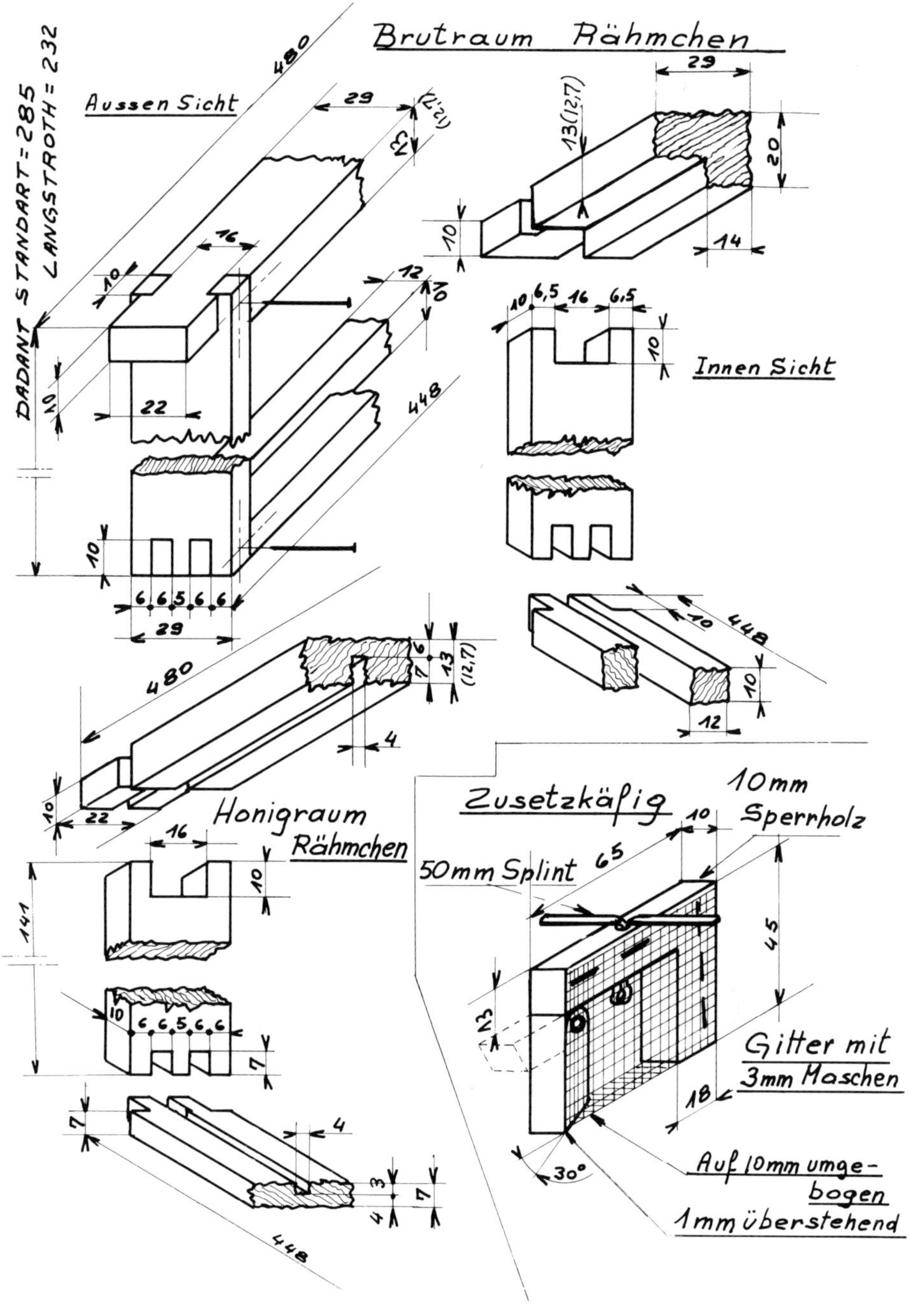
Brutraum Rähmchen
DADANT STANDART = 285
LANGSTROTH = 232
Aussen Sicht
480
29
13
(12,7)
16
10
12
10
22
448
10
6 6,5 6 6
29
20
14
13(12,7)
10
6,5 16 6,5
Innen Sicht
10
448
12
480
6
7
13
(12,7)
4
22
Honigraum
Rähmchen
141
7
3
4
Zusetzkäfig
10mm
Sperrholz
65
50mm Splint
45
Gitter mit
3mm Maschen
18
30°
Auf 10mm umgebogen
1mm überstehend

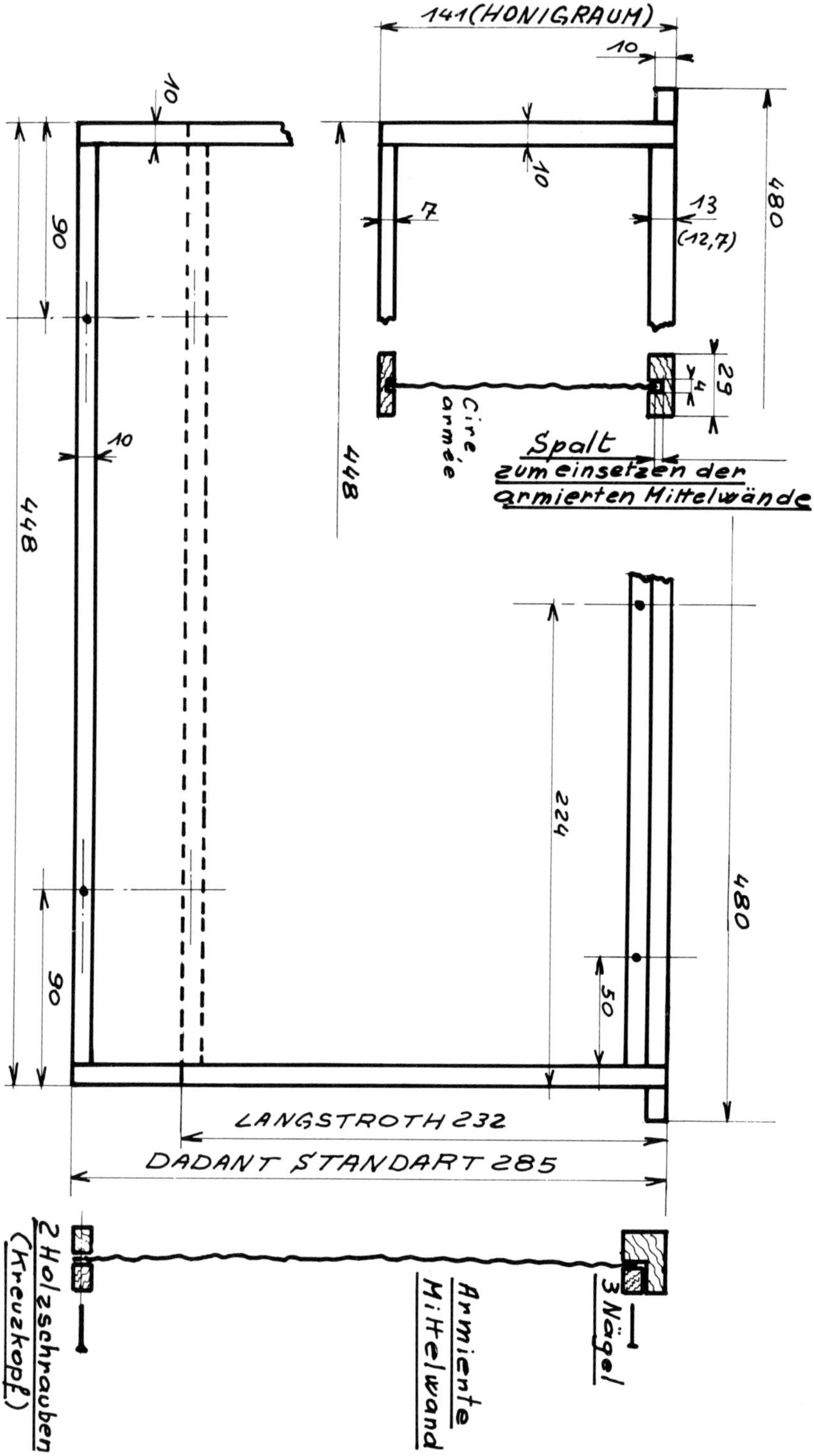
141 (HONIGRAUM)
10
10
10
7
13
(12,7)
480
29
4
Cire armée
448
Spalt
zum einsetzen der armierten Mittelwände
90
448
10
224
480
50
90
LANGSTROTH 232
DADANT STANDART 285
2 Holzschrauben (Kreuzkopf)
Armiente Mittelwand
3 Nägel

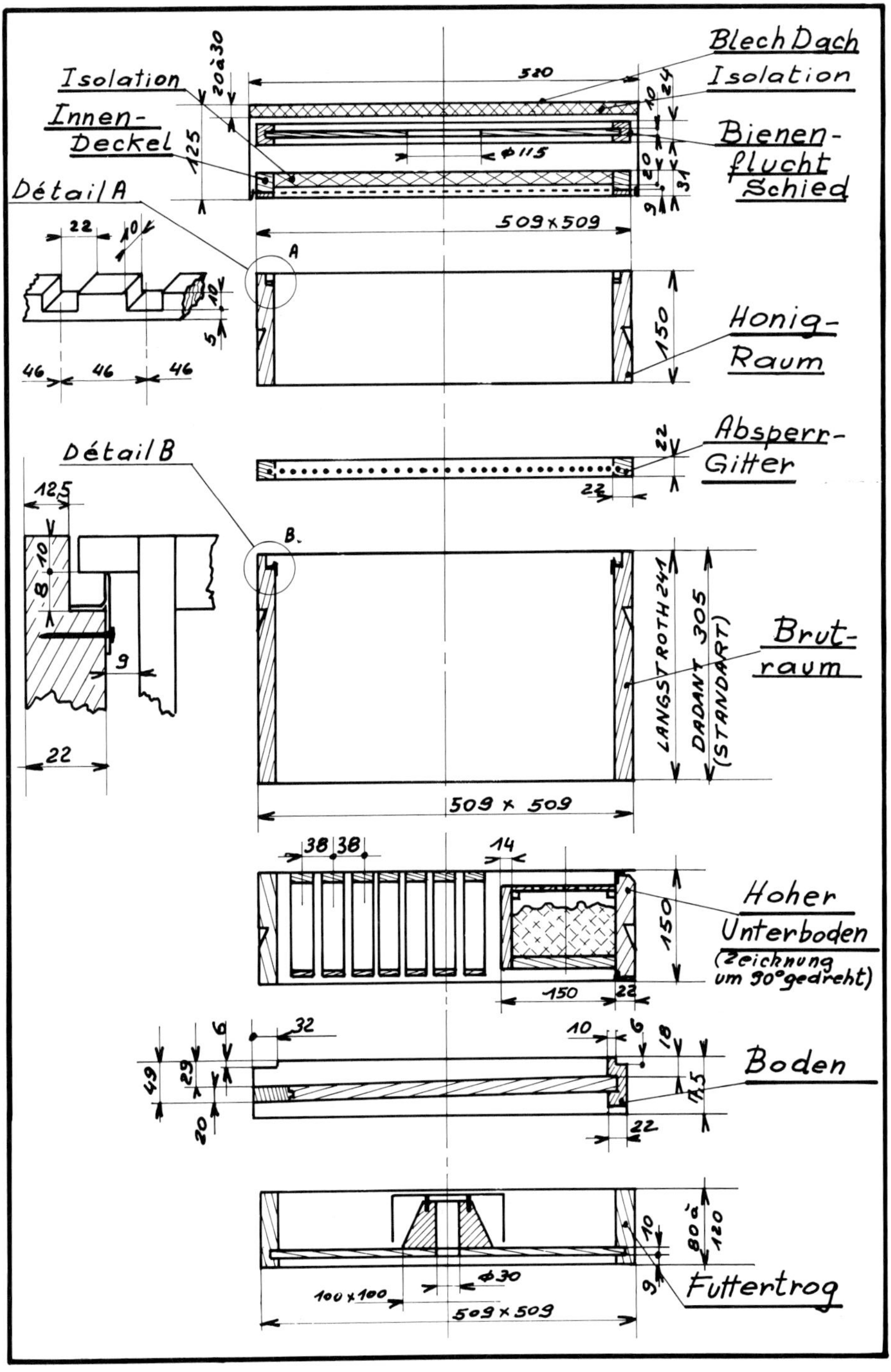

Blech Dach
Isolation
Isolation
Innen-Deckel
Bienen-flucht Schied
Détail A
Détail B
Honig-Raum
Absperr-Gitter
Brut-raum
LANGSTROTH 241
DADANT 305 (STANDART)
509 x 509
Hoher Unterboden
(Zeichnung um 90° gedreht)
Boden
Futtertrog

Einige nützliche Adressen:

Gemeinschaft der Buckfastimker e.V.
Obere Weinbergstraße 28
3501 Ahnatal-Heckershausen
Telefon 05609/9067

Deutscher Berufs- und Erwerbsimkerbund e.V.
Schriftführung
Günter Stecher
Harburger Straße 86
2130 Rotenburg/Wümme
Telefon 04261/4456

Bücher zum Thema Buckfast:

C. KOCH Verlag
Postfach 1252
7603 Oppenau

Geräte und Beuten:

C. KOCH KG
Imkerei-Technik
Hauptstraße 67
7603 Oppenau
Telefon 07804/520